岩　波　現　代　文　庫

一粒の柿の種

科学と文化を語る

渡辺政隆
Masataka Watanabe

社会 318

岩波書店

目　次

装画・挿画＝木村政司

1

寅彦がまいた種

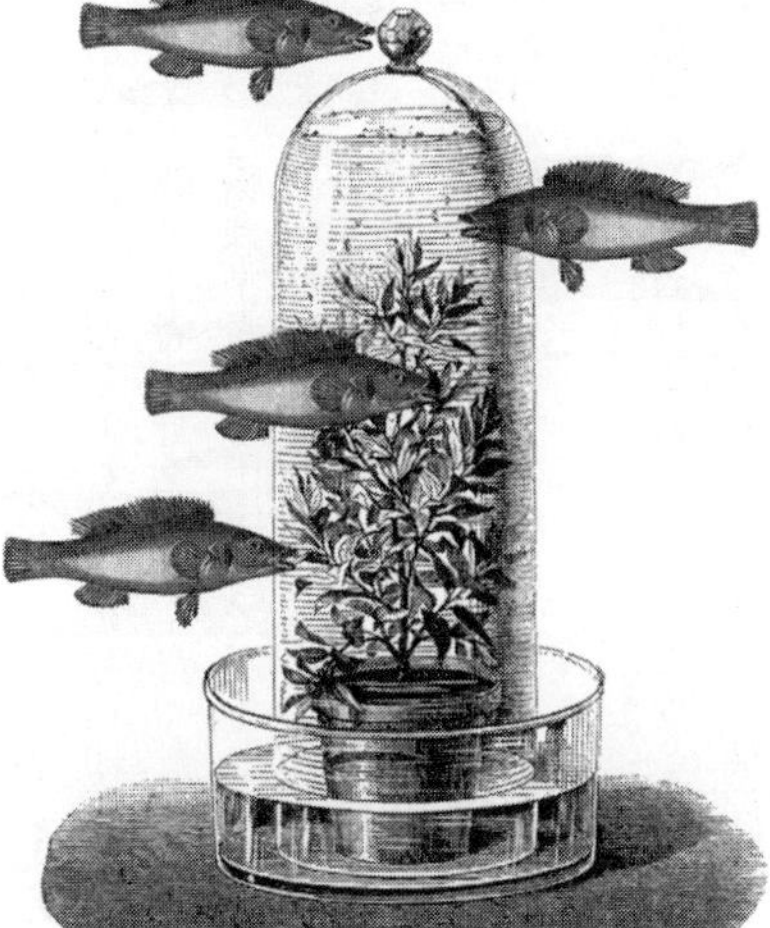

漱石の素養にみる科学リテラシー

夏目漱石の『三四郎』を読んだのは、大学入学のために上京してすぐのことだったと思う。三四郎の心情がずいぶんよく理解できた。ただしそれ以上に強い印象を受けたのは、ストイックに研究に打ち込む理科大学の物理学者、野々宮さんだった。この野々宮さんのモデルは、漱石の文学上の弟子だった物理学者、寺田寅彦であると言われている。

一八七八(明治一一)年生まれの寺田寅彦は、熊本の旧制第五高等学校時代に同校の英語教師だった夏目漱石(本名は金之助)の影響で俳句を詠むようになり、のちに随筆や短編小説も物するようになった。共に東京に移ってからも、寺田は夏目邸に足繁く通い、座談に興じていた。そして漱石に、小説の素材提供もしていた。

自分の研究をしている実験室を見せろと云われるので、一日学校へ案内して地下室の実験装置を見せて詳しい説明をした。その頃はちょうど弾丸の飛行している前後の気波をシュリーレン写真に撮ることをやっていた。「これを小説の中へ書くがいいか」と云われるので、それは少し困りますと云ったら、それなら何かほかの実験の話をしろというので、偶然その頃読んでいたニコルスという学者の「光圧の測定」に関する実験の話をした。それをたった一遍聞いただけで、すっかり要領を呑込んで書いたのが「野々宮さん」の実験室の光景である。聞いただけで見たことのない実験がかなりリアルに描かれているのである。

小宮豊隆編『寺田寅彦随筆集　第三巻』「夏目漱石先生の追憶」岩波文庫より

ここで言及されている実験室の光景は、三四郎が同郷の先輩野々宮さんをその実験室に初めて訪ねたときの光景として使われている。むろん、野々宮さんイコール寅彦ではないが、やはり、どうしても寅彦を連想してしまう。もっとも、『吾輩は猫である』に登場する、飄然《ひょうぜん》と現れては「どんぐりの安定性を論じて併せて天体の運行に及ぶ」かと思えば「首釣りの力学」をとうとうと論じ臆するところがない人物、水島寒月君にも、寅彦のイメージは投影されている。野々宮さんと寒月君のイメージはあまりダブらないが、寒月君が『猫』の中で語る科学ネタは、間違いなく寅彦が情報源だった。そのあたりの事情も、寅彦自身が随筆に残している。

自分が学校で古い『フィロソフィカル・マガジン』を見ていたらレヴェレンド・ハウトンという人の「首釣りの力学」を論じた珍しい論文が見附かったので先生に

報告したら、それは面白いから見せろというので学校から借りて来て用立てた。それが『猫』の寒月君の講演になって現われている。高等学校時代に数学の得意であった先生は、こういうものを読んでもちゃんと理解するだけの素養をもっていたのである。文学者には異例であろうと思う。

「夏目漱石先生の追憶」より

漱石のこのような素養こそ、まさに科学リテラシーというのだろう。科学の話題を理解し、それをアレンジして小説の素材にしてしまえるような力量のことを。

文人科学者のいた時代

一方、寅彦も随筆家として夙に有名である。科学随筆というジャンルは、寅彦に発するのかもしれない。

中学生だった頃、日本の名随筆といった類の本を学校の図書館から借りて読んだ。もしかしたら科学随筆というジャンルに特定された本だったかもしれない。とにかく記憶はあまり定かでなく、立春の日に卵が立つという内容の随筆を読んだということだけを覚えている。

その随筆のことだけが記憶に残っていたのは、それを読んで自分でもさっそく実験をしたからかもしれない。そしてたしかに、卵は立った。コロンブスのゆで卵ではなく、生卵が立ったのだ。しかも立春でもないのに。

ぼくにとって、これはすごい発見だった。さっそく家族や友人に報告したのだが、誰もさほどおもしろがらなかったと記憶する。まるで自分の手柄話のように吹聴したせいだったのだろうか。あるいは、その「発見」のおもしろさは、件の随筆を読んだ者にしかわからないせいなのだろうか。

その随筆とは、中谷宇吉郎が書いた「立春の卵」である。書かれたのは一九四七(昭和二二)年。中谷は、ある新聞記事をきっかけにその随筆を書いた。ある新聞が、一年に一度、立春の日にだけ卵が立つという言い伝えを取り上げ、公開実験を試みたのちに、立春の日に卵が立つもっともらしい理由を科学者から取りつけ、紹介した記事である。

中谷は、その非科学性、非論理性に呆れ、根気よく試みれば立春でなくても卵は立つことを証明した。卵の殻の表面には細かい凹凸があるため、コツさえつかめば生卵だって立つ。要は根気の問題だったのだ。そのことを論理的かつ明晰に語る筆致が、まるで自分の「発見」ででもあるかのような錯覚を覚えさせるだけの筆力が、中谷にはある。

中谷宇吉郎は、「雪は天から送られた手紙である」という名文句を残した物理学者であり、かの寺田寅彦の高弟として、文人趣味においても師の薫陶を受けた名随筆家である。とはいえ、今や若い人で、中谷や寺田の名を知る人がどれほどいるかは怪しいところだ。以前ならば、「言わずと知れた」の一言ですんだはずなのだが。

もっとも、かくいうぼくも大きなことは言えない。今から三〇年ほど前、寺田寅彦に関する原稿を依頼されてその随筆集を一気に読破した際、「立春の卵」が収録されていないことにしばしとまどうという経験をした。そう、少年時代に感銘を受けた随筆の著者は寺田寅彦だったと、いつの間にか思いこんでいたのだ。

ともかくも、科学随筆といえば寺田寅彦と中谷宇吉郎が双璧である。二人の筆致もスタンスも微妙に異なるが、文人趣味をもつ科学者として、一つのタイプの科学者のイメージを形成させたともいえる。

エビを二つ食っちゃう

昨今では、文人科学者というイメージはすっかり廃れてしまった。だいいち、漱石や寺田の時代はもちろん、中谷の時代に比べても、科学者の数は格段に増えており、多様性が増している。ならば身近な存在として受け入れられているかといえば、必ずしもそうでもないようだ。科学者はむしろ、一般人から縁遠い存在になっているような気がする。

たとえば、東京大学で研究しているぼくの連合いが経験した逸話を紹介しよう。大学の前からタクシーに乗り、「お客さん科学者なの?」と問われて「そうだ」と答えると、その個人タクシーの高齢男性ドライバーは「一度聞いてみたかった」と言ってこう尋ねたという。

「四人で飯食いに行って、お新香が三つしかないのにいきなり食っちゃう。八人で中華料理食いに行ってエビが九つあったら二つ食っちゃう。研究者はそういう人だと聞いているけどどうですか」

わが賢妻は、「そういう人もいるけれど、一般社会と比べて有意な差はない」と答えたとか。そのタクシードライバーがそれで納得したかどうかはともかく、この逸話は、世の中には科学者をこう見ている人がいるという有益な教訓になる。しかも、さまざまな客を乗せるタクシードライバーの証言なのだから重みがある。

科学者は自己中心的な変わり者という見方は一方的な偏見である。ただし、科学者の実像が世間からは見えないということは言えそうだ。なにしろ、日本の大学生は、七割方文系なのだ。そして、科学は難しくてよくわからない、理系の学生は根暗でオタクっぽいという固定観念がすっかり定着している。

たとえば、二〇〇四年に内閣府が一八歳以上の二〇〇〇人あまりに対して実施した「科学技術と社会に関する世論調査」を見てみよう。それによれば、「科学者や技術者は、身近な存在であり、親しみを感じるという意見についてどう思うか」という質問に対して、「そう思う」あるいは「どちらかといえばそう思う」と答えた人の割合は一六パーセントであるのに対し、「そう思わない」あるいは「あまりそう思わない」と答えた人の合計が七四パーセントにも達している(図1)。

ほかにも科学者や最先端科学をめぐるさまざまな調査が行なわれているが、総じて人びとは科学技術に対して、期待と不安というアンビバレントな感情を抱いている。生活を便利にしてくれるが、暴走すれば悪にもなりうるという漠とした不安を抱いているのだ。そうしたマイナスイメージが生じる理由の一つは、科学技術を推進している人間の顔が見えないこと、もう一つは誰がコントロールしているのかわからないことかもしれない。それは、科学技術者が縁遠い存在と思われていることとも通じている。

こうした状況は日本にかぎったことではなく、先進国に共通するものである。そこで、科学を社会に浸透させ、科学技術の発展が人びとの生活をより豊かで安心できるものにするための方策をみんなで考え、科学技術のシビリアンコントロールを実現するための、サイエンスコミュニケーションという活動理念が提唱されている。

専門家と素人の間の垣根を取り払い、コーヒーやワインを飲みながら気楽に科学について語り合うサイエンスカフェなどは、そうした活動理念の中から芽生えたイベントである。そこでの目標は、とりあえず、科学のネタが日常会話の中であたりまえのように話題にされるような土壌が醸し出されればいいなというものだ。

あるいは、科学者や技術者も、日常生活の意外なところで科学が役立っているし、科学にちょっと触れるだけでものの見方が変わりうることを、積極的に発信していく必要

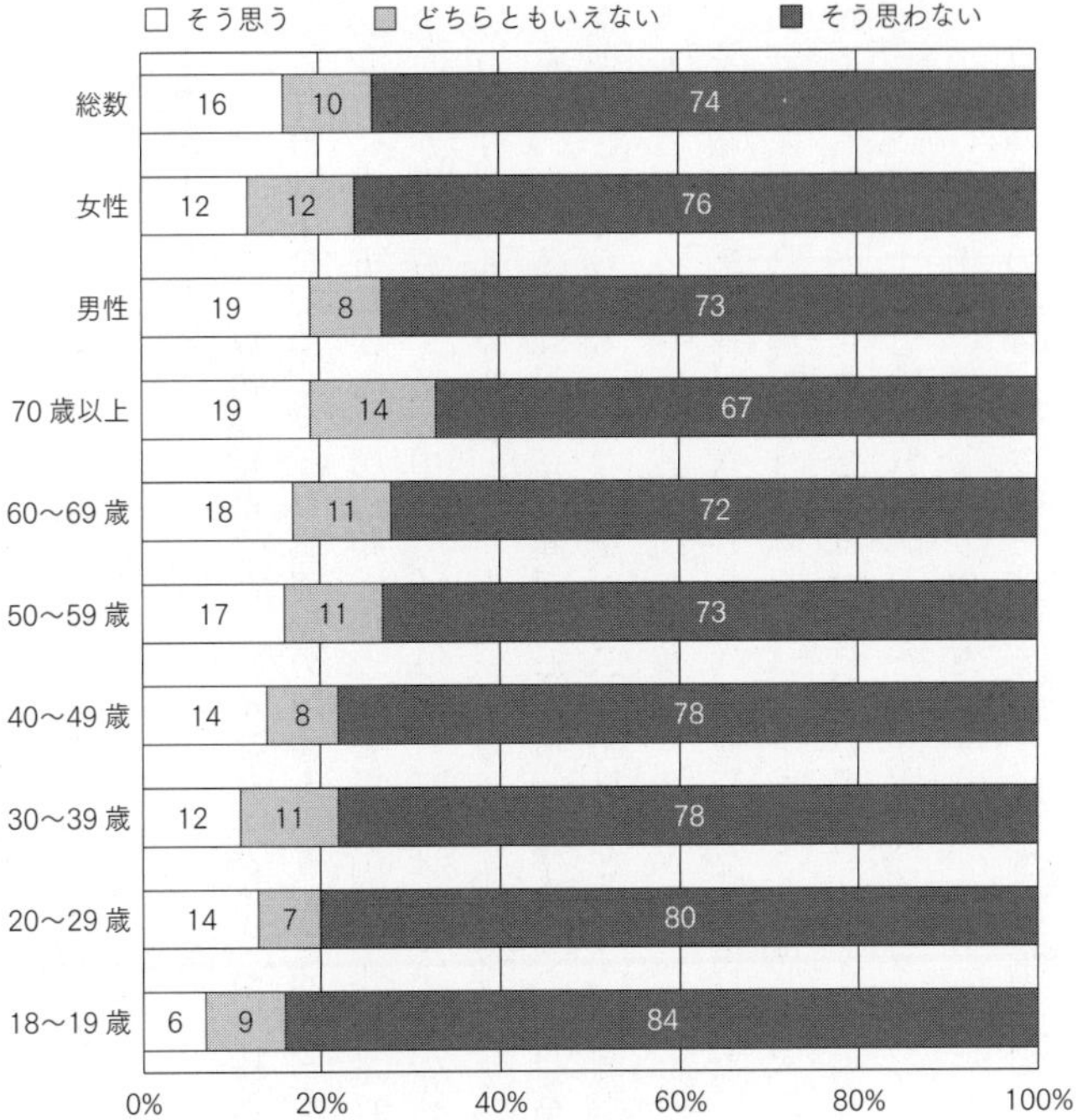

図1　質問「科学者や技術者は，身近な存在であり，親しみを感じるという意見についてどう思うか」に対する回答　「そう思う」は「そう思う」と「どちらかといえばそう思う」の合計，「どちらともいえない」は「どちらともいえない」と「わからない」の合計，「そう思わない」は「そう思わない」と「あまりそう思わない」の合計．「科学技術と社会に関する世論調査」(内閣府，2004)より

もある。そのためには、当然、コミュニケーション力が必要となる。

タクシー・トーク

二〇〇五年は世界物理年だった。アインシュタインが、特殊相対性理論、光量子説による光電効果の理論、ブラウン運動の理論という歴史的な三つの論文を発表した「奇跡の年」一九〇五年から一〇〇年ということで、国連で決議され、世界中でさまざまな記念行事が開かれた。その中で、イギリス、ブリストル大学の物理学者マイケル・ベリーがユニークな企画を提案した。題して「タクシードライバーのための物理学」。タクシーに乗っている間に話せる話題で、しかも物理学がいかに日常生活とかかわっているかを納得してもらえるような話を、五〇〇語以下という文字制限付きで『フィジクス・ワールド』という物理学の雑誌上で募集したのである。

その結果、応募作品のなかから二件が優秀作品に選ばれた。一つは「テッポウエビ」の話。左右で大小極端なはさみをもつテッポウエビは、巣穴にハゼが共生していることでも知られるが、その大きなほうのはさみで「パチン」という威嚇音を出す。そのせいで、テッポウエビと呼ばれているのだ(英語ではスナッピング・シュリンプ)。相手によっては、その衝撃で気絶したり死んだりすることもあるという。

以前からその音は、はさみを閉じるときにはさみの刃と刃がぶつかる音、たとえるならば「指パッチン」の音と考えられていた。ところが二〇〇〇年に、これは気泡が破裂する音であることが解明された。しかも、それを解明した研究チームを率いたのは物理学者だった。そのメカニズムは、キャビテーション(空洞現象)と呼ばれるものだという。はさみが最高時速一〇八キロメートルという高速で閉じられると、それと接する水も引っ張られ、水圧が急激に低下する。するとその部分の水が蒸発し、気泡が生じるのだ。そしてはさみが閉じられ、水流が止まった瞬間、水圧が再び上昇し、気泡が音を立てて破裂する。それが、テッポウエビの「発射音」だったのである。

この発見は、体長五センチメートルほど、大きなはさみの長さが二・八センチメートルもあるテッポウエビの行動をビデオに撮って調べていた動物学者が、はさみが閉じられる際に気泡が発生しているのを発見したことに端を発している。そこで、気泡の動態を研究している物理学者に共同研究を提案し、超高速カメラを用いてそのメカニズムを調べることになったのだ。

これだけでも驚きの「大」発見だが、テッポウエビの「銃撃」には、発射音だけでなく閃光まで伴っていた。これは、気泡が急速に圧縮される際に発生する熱が光に変換されるためで、一般に音ルミネセンスとして知られている現象に相当する。計算によれば、気泡が弾ける瞬間の気泡内の温度はセ氏四七〇〇度にもなっているという。自転車などの空気入れのピストンで圧力をかけると、空気入れのシリンダーが熱くなる現象は誰も

が経験していると思う。もっとも、発光はあまりにも短時間(一〇ナノ秒、すなわち一

億分の一秒)であるため、肉眼では見えないし、テッポウエビにとってもおそらく何の

役にも立っていないものと思われる。

ただし、単なる副産物と思われている発光現象が、じつは重要な機能を担っているこ

とがいつの日か解明されないともかぎらない。なにしろ、現にテッポウエビは空洞現象

という物理現象を生存のためにうまく利用しているわけで、このような副産物に機能を

もたせる転用こそ、生物進化の常道だからだ。

この話題を投稿したオランダ人は、家に来た庭師のカップルが休暇で紅海に潜りに行くという話を聞き、この話題を披露したという。以前からテッポウエビのことは知っていて、その音はてっきりはさみをカチカチさせる音だと思っていた庭師の女性は、それが気泡の破裂音で、しかも閃光まで伴うという話を聞いたあとで、学校の理科の授業でそんな話を聞いていたとしたら物理学が好きになっていたかもしれないのにと語ったという。

もう一つの優秀作品は、スピードガンによるスピード違反取り締まりの話である。題して「オームの法則の呪い」。ダイオードに強い電界をかけるとマイクロ波を発するガン効果という現象を応用したのがスピードガンである(ただし、ガン効果のガンは、この現象を発見した物理学者の名前であり、スピードガンのガンとは関係ない)。ガン効

果はオームの法則に反する現象であり、スピードガン発明のきっかけをつくったトランジスターやダイオードの研究者は、オームの法則の呪いをかけられて当然という話をした矢先に、当のダイオード研究者がスピード違反で捕まってしまったという落ちである。

侮るなかれタクシードライバー

たしかに、これはこれでおもしろい。ぼくも、いろいろな場所で機会あるごとに、この話を紹介してきた。しかしちょっと待てよとも思う。すべてのタクシードライバーがみな、科学に無関心ともかぎらないではないか。あるいは、物理学に無関心、あるいは無知なタクシードライバーに物理学のおもしろさを「教えてあげよう」と思うのは科学者の傲慢さの表れではないのか。

たとえば、わが賢妻が体験したもう一つのタクシー・トーク。神戸のタクシーに乗り、「神戸は夜景がきれいですね」と水を向けたところ、「色と欲が渦巻いてます」と返された。これはいけないと、「今日は寒いですね」と話題を転じたところ、「一〇〇万年後に来てもろたらあったかくなってます」と温暖化ネタが返ってきたという。さまざまなお客を乗せ、ラジオをつけっぱなしにしているタクシードライバーを侮ってはいけない。

ただ、この企画を思いついたマイケル・ベリー教授の父親はロンドンのタクシードライバーで、お客と話をするのが大好きだったという。しかも、ベリーがこの企画を思いついたそもそものきっかけは、空港から勤め先の大学の物理学科までタクシーに乗ったときに、「お客さんはこの物理学科の人？」と聞かれ、物理学者という人種は毎日いったい何をしているのか、「賢い人たちに違いないのだろうけど、浮世離れしているんじゃないの」と尋ねられたことだった。

そこでベリーは、理論物理学が日常生活に恩恵をもたらしている例を二つ話したという。一つは音楽のCDプレーヤー。これはレーザーを利用しており、その原理はアインシュタインが一九〇五年に提唱した光量子説の応用である。もう一つ、そのタクシーに装着されていたカーナビだって、アインシュタインの相対性理論を応用しているものだから、これも一九〇五年に端を発している。すなわちどちらの装置も、アインシュタインが予想もしていなかったような形で実用化され、万人が気軽に音楽を聴いたり、不案内な土地を運転できるようになったという話をしたのだという。

いや実際には、タクシードライバーからの意表をつく質問に、しどろもどろながらなんとか答えられたというのが実情らしい。つまり、タクシードライバーに物理学の話をすると聞くと、何も知らない素人に科学の知恵を授けてやるという傲慢な態度と思われがちだが、ベリー先生の場合は、そういえば理論物理学はいったい何の役に立っているのかという自問自答を迫られたのである。彼はそこで、話のネタを共有すべく、企画コンペを提案することにしたというしだいである。

エレベーター・トーク

おそらく、たいていの科学者がいちばん戸惑う「素人」からの質問は、「何の研究をしているのですか」というものだろう。

コミュニケーション力を養うトレーニングに、「エレベーター・トーク」というものがある。これは、エレベーターの前でたまたま出会ったちょっとした知合いから、「最近は何やってんの」と聞かれたとして、エレベーターが来て、目的階に着いて別れるまでに自分の近況を説明する訓練である。一般には、一期一会の機会を活かして自分を売りこむためのセールストークの訓練として使われている。

では実際にはどういう話が有効なのか。「うんまあ、ドロソフィラのヘッジホッグファミリーの研究をしているんだけどね」などというのは愚の骨頂である。それを言うならたとえば、「昆虫の脚はどうやってできるのかを研究しているんだよ」とまず言ってしまう。そうすれば相手は、「へえ、何それ?」と乗ってくる。そこで、「ヘッジホッグっていう遺伝子がどういうタイミングでスイッチオンされるかとか、そういうことを調べているのさ」ともっていく。「えっ、ヘッジホッグってハリネズミのことでしょ。ハリネズミと昆虫がなんで?……」となれば、まあ成功だろう。ただ、昨今の高速エレベーターだと、相手が話に乗ってきたとしても、途中でおしまいになりかねない。

科学の種をまく

件の寺田寅彦は、句誌に書いた「即興的漫筆」をまとめ、一九三三(昭和八)年に『柿の種』と題した短文集を編んだ。その冒頭の短文では、日常の世界と詩歌の世界を隔てる境界を一枚のガラス板に見立て、その通路には小さな穴があるが、「始終ふたつの世界に出入していると、この穴はだんだん大きくなる。しかしまた、この穴は、しばらく出入しないでいると、自然にだんだん狭くなって来る」と書いている。これは、日常の世界と科学の世界についても言えることなのではないか。

あるいは、『柿の種』の巻頭には次のような断章がある。

棄てた一粒の柿の種
生えるも生えぬも
甘いも渋いも
畑の土のよしあし

手前勝手に換言するなら、科学の種をまくだけではだめで、種が育つ畑の手入れも怠ってはいけないということなのだろう。

2 科学の卵

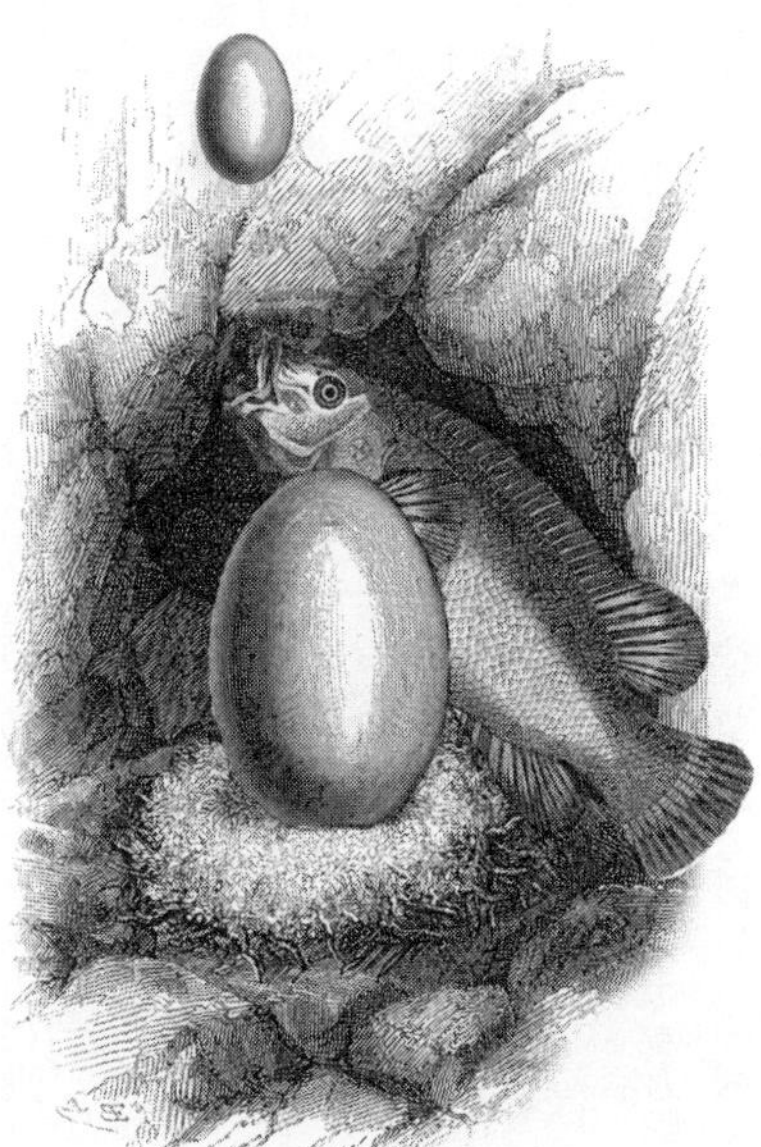

愛鳩家の科学

初っ端から、またもやタクシードライバーの話。うちの賢妻がタクシーに乗り、上野駅までと告げたところ、「どこかへ旅行ですか?」と問い返された。

「岩手県の盛岡まで」

「ああ、四〇〇キロメートルですね」

「えっ、どうしてそんな細かい数字を知ってるんですか」

「伝書鳩の四〇〇キロレースんとき、スタート地点が盛岡の近くだったから」

「伝書鳩を飼ってるんですか」

「父親が讀賣新聞社の運転手で、そこから鳩をもらってきたのがきっかけで、それ以来……」

人それぞれ、意外な専門知識や特技を備えているものだ。人の趣味は千差万別だが、生きものの飼育、それも単なるペットではなく、品評会やレースで競い、品種改良まで手がけてしまうとなると、道楽の域を越えかねない。日本に一万数千人いるといわれる伝書鳩愛好家の場合も奥が深そうである。

古来、動物や植物の育種家は、遺伝学なる学問が登場する以前から、遺伝に関する経験的な知識を活用し、品種改良で成果を上げてきた。あるいは、伝書鳩も含めて動物の調教や利用などでは、個々の動物の本能や持ち前の個性を的確に把握し、みごとな行動を引き出してきた。キノコや野草などの有用植物も、分類学者が体系化する以前から、人びとはきちんと見分けて利用していた。遺伝学、動物行動学、分類学といった科学は、そのような経験的な知識を体系化し、そのメカニズムを掘り下げることによって発展してきたともいえる。

そうした市井の人びとの知恵を最大限に活用したのが、ほかならぬチャールズ・ダーウィンだった。ダーウィンは、主だった育種家にアンケートを試みたり、さまざまな個人と文通を行なったりすることで、人為選抜に関する種々雑多な情報を収集し、そのアナロジーとして自然淘汰説を提唱したのである。

ダーウィンは、自らも品種改良に手を染めた。その主たる対象が鳩だった。伝書鳩ではなく、観賞用の鳩である(ただし、いずれも原種は同じカワラバト)。彼は一八五五年の夏に、ファンテイル種とパウダー種の番《つがい》を一ポンドで購入し、庭につくった鳩小屋での飼育を開始した。やがて鳩舎は増築され、一時はさまざまな品種の鳩を九〇羽も飼っていた。ダーウィンの『種の起源』には次のような一節がある。

特殊なグループを研究するのが最善の方法と思い、私はよく考えた末に、飼いバトに的を絞った。私は手に入れられる限りの品種を飼うと同時に、世界各地から剝製標本の寄贈を受けた。（中略）ハトに関しては各国語の文献が出版されており、そのなかにはかなり古く重要なものもある。私は何人もの著名な愛鳩家と知り合いになったほか、ロンドンの二つの愛鳩クラブへの入会を許された。

C・ダーウィン著、渡辺政隆訳『種の起源』光文社古典新訳文庫より

当時の愛鳩家は、富裕階級から労働者階級まで多岐にわたっていた。ダーウィンは、その両方のクラブに所属していた。労働者階級の「奇人たちの変てこな集団」での例会に参加したときのようすを、ダーウィンはラグビー校の寄宿舎にいる息子に宛てた一八五五年一一月二九日付けの手紙で伝えている。

食事会のあと、〝小男で変人の〟ミスター・ブレントが陶製のパイプを父さんに渡してこう言いました。「ほら、あんたに」って。父さんがそれでタバコを吸うのは当然といったふうなのです。別の小男の奇人（愛鳩家はみんな小男だと、父さんは思い始めている）は、小さくてお粗末なポリッシュ・ヘン種を見せて、五〇ポンドじゃ売るつもりはない、その雌には黒い冠羽があるから二〇〇ポンドにはなると

言っていました。

ダーウィン往復書簡集より筆者訳

市井の品種改良家たちは、カワラバトという野生種がもともとそなえていた遺伝的変異をフル活用し、さまざまな品種をつくり出すノウハウを心得ていた。そうした、まさに「科学的」といっていい情報が、ダーウィンにとっては何よりも得難いものだったのだ。その関心領域は、鳩以外にもあらゆる種類の飼育動物におよんでいた。その資料を集めるために各地の育種家や探検家に出す手紙の素案として、一八五五年一二月には次のような覚書を書いていた。

鶏、鳩、ウサギ、猫のあらゆる品種の剝製。大きくなければ犬も可。地方の狭い範囲で何世代もかけて育種されたものならとても貴重。珍しい地域から最近持ちこまれたものも貴重。あらゆる品種のおとなの特徴的な標本を見つけ出す必要がある。

ダーウィン往復書簡集より筆者訳

長い時間をかけて選抜された品種が原種からどれほどかけ離れたものとなりうるのかを調べれば、種の安定性神話を打ち壊すことができる。しかも「品種」を「種」、人為的な選抜を自然淘汰と読み替えれば、種内の遺伝的変異に「自然淘汰」が作用することで種は進化するという自然淘汰説になる。ダーウィンはそう考えていたのだ。

ダーウィンは鳩の外見の品定めをしただけでなく、死体を煮つめて骨格標本をつくり、内部骨格の変異まで調べていた。鳩をこよなく愛するダーウィンだったが、遺伝的な変異の正体を知るという真理探究のために、心を鬼にして鳩を殺していたのだ。ちなみに先年、上野の国立科学博物館でティラノサウルス「スー」の特別展が開かれた。そこでは恐竜と鳥の進化に関する展示コーナーもあり、その一角に、ダーウィンお手製で、しかもサインまで入った鳩の骨格標本も展示されていたのが印象的だった。

好きこそ物の……

思えば、恐竜好きの子どもたちは恐竜の学名をそらんじるし、ムシキングに熱狂する子どもたちは世界中のカブトムシを熟知している。「鉄ちゃん」こと鉄道マニアたちは、列車名や型式番号などに精通している。科学だ、工学だなどと格別意識することなく、好きなものは好き、おもしろいからもっと知りたいと思うのが自然である。これほどの強みはない。ところがその一方で、科学や工学は難しい、複雑だ、とっつきにくい、暗いといったイメージが世間一般にはある。

科学を育む芽は好奇心と感動にある。美しい、可愛い、不思議だと思うことから世界が広がる。

ぼくは少年時代、買ってもらった顕微鏡を使って、雪の結晶を観察しようとしたことがある。しかし、北陸の雪国だったとはいえ、平地では気温が高すぎたのだろう、スライドグラスを冷凍庫で冷やしたにもかかわらず、受け止めた雪の結晶はスライドグラスの上で空しく解けていった。それでも、服の繊維の上にそっと舞い降りた雪片に目を凝らしただけでも、雪の結晶の美しさの一端に触れることはできた。

じつは、こともあろうに江戸時代に、雪の結晶を観察した殿様がいた。江戸後期の下総古河《しもうさこが》藩主で江戸幕府の老中も務めた土井利位《としつら》(一七八九～一八四八)である。古河歴史博物館(図1)に行くと、利位が屋敷の庭に机を出し、お付きが掲げる大きな傘の下で、雪の結晶を顕微鏡で観察している様を再現したミニチュア模型が展示してある。雪が降りそうな天候になると、夜のうちから黒い毛氈《もうせん》を野外に出して冷やしておき、翌

図1　古河歴史博物館(上)と市内の公共建物に使われている雪華模様

朝、その上に舞い落ちる雪を集め、やはり冷やしておいた漆器に乗せ、顕微鏡で観察したのだという。

しかし、関東平野のまん中、現在の茨城県西端に位置し、埼玉県と栃木県に隣接する古河は、どちらかといえば気候温暖な土地である。なぜそこで雪の結晶を観察できたのだろう。あるいは、顕微鏡はどこから手に入れたのだろう。

以前、古河歴史博物館の学芸員の方に聞いて驚いたのだが、利位が雪の結晶を観察したのは古河城内ではなかったとのことだった。そもそも利位は、寺社奉行《じしゃぶぎょう》、大坂城代《じょうだい》、京都所司《しょし》代《だい》、老中など幕府の要職を歴任し、大坂城代時代には大塩平八郎の乱を平定するなど幕府の中枢で活躍していたため、隠居するまで、古河で暮らすことはほとんどなかったらしい。雪の観察にいちばん熱を入れたのは、主に大坂城代時代と京都所司代時代のことだった。当時は世界的に小氷期で日本も寒冷だったため大阪や京都でも雪の結晶が観察できるほど寒い日が多かったらしいのだ。

もう一つの疑問、利位が顕微鏡を入手し、雪の結晶に興味をもったきっかけだが、その答は、蘭学者として有名だった古河藩家老の鷹見《たかみ》泉石《せんせき》の影響によるというものだ。蘭学書に載っていた雪の結晶図を見た利位は、自分でも観察したいと思い立ち、オランダ伝来の顕微鏡を入手した。利位は、雪の結晶を雪華《せっか》と呼んでいた。そしてその雪華のスケッチ八六葉を収録した『雪華図説』を一八三二年に、その続編『続雪華図説』を一八四〇年に著した。

二冊の図説はいずれも私家版として編まれたもので、主に大名仲間や幕府重鎮への贈り物にされ、一般にはほとんど出回らなかったようだ。その一方で利位は、印籠《いんろう》、刀の鍔《つば》などに雪華模様をあしらい、雪の殿様として知られるようになった。古河市は現在も雪華模様を市内の各所に配し、観光の売り物にしている。

雪の研究といえば、前回も名前を出した、物理学者にして文人の中谷宇吉郎が有名である。中谷は利位の自然観察に関して、次のように述べている。

彼の遺した『雪華図説』一巻は、一八二〇年代にスコレスビーあるいはグレイシャーの如き世界的雪華研究者として歴史上に不朽の名を遺した人々の仕事と較べても余り遜色《そんしょく》がないように思われる。徳川三百年、全国に三百余侯がそれぞれ蟠踞《ばんきょ》して、何千人かの人々が、殿様たる地位に生まれ、多くの家臣に仕えられてその生を終ったであろう中に、この一巻の書を残したかの土井利位のみが、自然の最も優れたる観察者として、科学的精神の具顕者としてその名を遺したことについては、大塩平八郎を退治したというよりも偉大な意味があるはずである。この方をこそ人々は銘記しなくてはならないのではないかと思われる。

中谷宇吉郎『雪』岩波文庫より

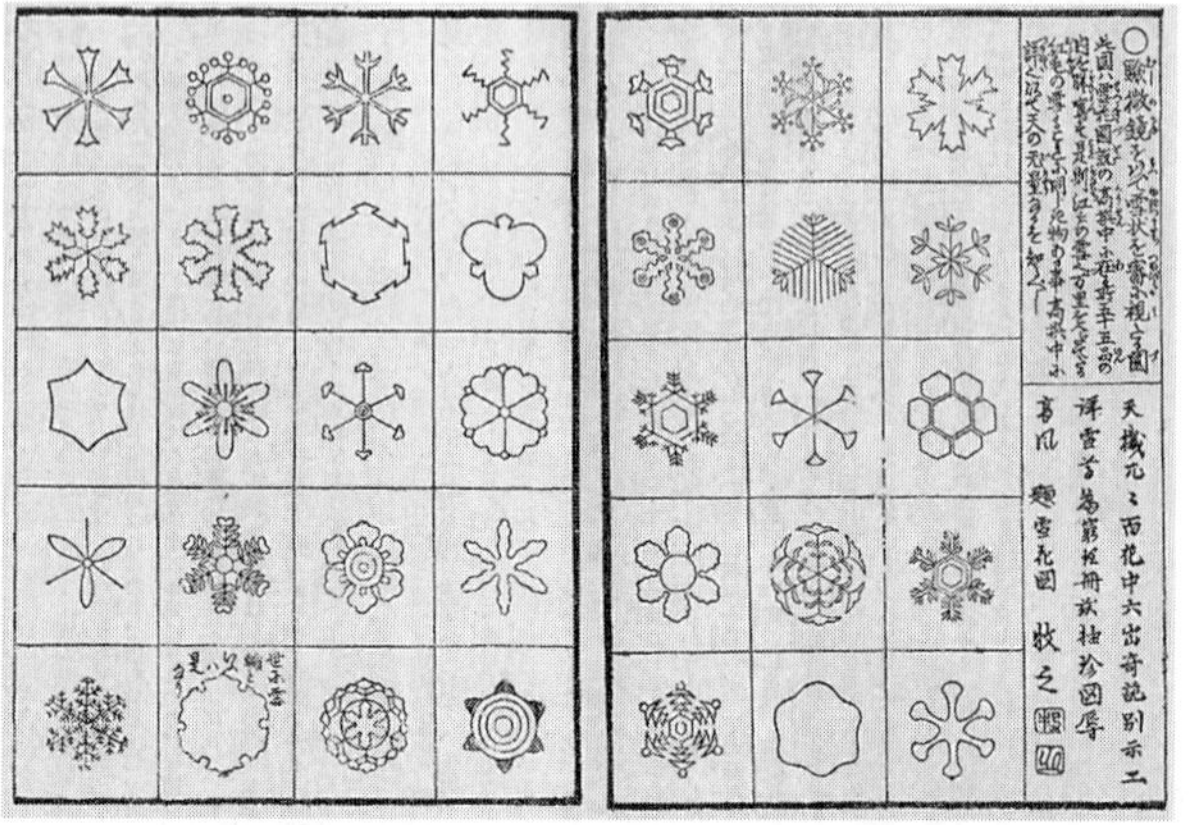

図2　雪華図　鈴木牧之編撰『北越雪譜』岩波文庫より

中谷は、自然観察家としての土井利位を高く評価し、その点での歴史的な評価が低いことに憤慨しているが、このお殿様の奇矯な趣味は、当時の江戸文化に大きな影響をおよぼしていた。雪華模様が江戸の庶民にも受け入れられ、江戸後期にちょっとした雪華ブームが起きたのだ。その火付け役となったのが、越後の商人、鈴木牧之《ぼくし》(一七七〇～一八四二)が著した『北越雪譜《せっぷ》』(一八三六～四二)である。『北越雪譜』に載録された『雪華図説』からの雪華図の写し(**図2**)が人びとの目にとまり、雪華模様をあしらった装飾品が庶民の間で流行《はや》ったのである。

雪は天からの贈り物

一九三〇年、三〇歳のときに北海道大学に赴任した実験物理学者、中谷宇吉郎は、北海道では事欠かない上に無料で手に入る材料を研究対象に選んだ。雪である。

中谷は、冬になると十勝岳の麓にある山小屋に籠もり、雪の結晶を観察すると同時に写真撮影を行なった。五年ほど通いつめ、三〇〇〇枚有余の写真を撮ったところで、結晶の分類を思い立つ。そしてやがて、結晶の形状は、それが形成された上空の気象条件を反映したものであることに思い至った。ならば、結晶の形状と気象条件との関係がわかれば、結晶を見るだけで、上空の気象条件が推定できるはずである。そこで、世界でまだ誰も成功していなかった人工雪づくりに挑戦することにした。このあたりの事情を、中谷自身、次のように説明している。

　雪は高層において、まず中心部が出来それが地表まで降って来る間、各層においてそれぞれ異なる生長をして、複雑な形になって、地表へ達すると考えねばならない。それで雪の結晶形及び模様が如何なる条件で出来たかということがわかれば、結晶の顕微鏡写真を見れば、上層から地表までの大気の構造を知ることが出来るはずである。そのためには雪の結晶を人工的に作って見て、天然に見られる雪の全種類を作ることが出来れば、その実験室内の測定値から、今度は逆にその形の雪が降った時の上層の気象の状態を類推することが出来るはずである。

このように見れば雪の結晶は、天から送られた手紙であるということが出来る。そしてその中の文句は結晶の形及び模様という暗号で書かれているのである。その暗号を読み解く仕事が即ち人工雪の研究であるということも出来るのである。

『雪』より

世界で初めて人工雪づくりに成功したのは、実験開始から五年目、零下五〇度まで冷やせる低温室が大学に建設された一九三六年のことだった。低温室内に設置した人工雪発生装置の中で水蒸気を対流させ、ウサギの毛のまわりに発達した氷を核に雪の結晶をつくることに成功したのだ。そしてその後、その暗号の解読表ともいうべき、気象条件と結晶の形状とを関係づけた「ナカヤ・ダイヤグラム」を発表した。

しかし、ここで人工雪の研究について紙幅を割いたのは、単に中谷の研究業績を紹介したかったからだけではない。この、人工雪研究へと至る中谷の説明は、科学的探求心に発する必然的な流れではあるが、じつはもう一つ、隠された動機もあった。それは、人工雪がつくれれば、単純におもしろそうだからという理由もあったというのだ。

毎日のように顕微鏡をのぞいているうちに、これほど美しいものが文字通り無数にあって、しかもほとんど誰の目にも止まらずに消えて行くのがもったいないような気がし出した。そして実験室の中でいつでもこのような結晶が出来たら、雪の成因の研究などという問題を離れても、ずいぶん楽しいことであろうと考えてみた。

池内了編『雪は天からの手紙』「雪を作る話」岩波少年文庫より

この引用文が書かれたのは一九三六年、人工雪づくりに成功した年である。さらにもう一つ。一九三七年に書かれた随筆からの引用。

この頃大ていの雪の結晶が皆実験室の中で人工で出来るようになったので、自分ではひとりで面白がっている。よく人にそれはどういう目的の研究なんですかと聞かれるので、こうして雪の成因が判ると冬期の上層の気象状態が分るようになって、航空気象上重要なことになるのですよと返事をする。そうすると大抵の人はなるほどと感心してくれる。しかし実のところは、色々な種類の雪の結晶を勝手に作って見ることが一番の楽しみなのである。

樋口敬二編『中谷宇吉郎随筆集』「雪雑記」岩波文庫より

楽しそうだからやってみる、これぞ中谷の本音であり、彼の科学研究の真骨頂だった。それに対して二つ前の引用は、一九三八年一一月二〇日に第一弾が発売された岩波新書二〇冊のうちの一冊(一九九四年に文庫化された)として出版された本の結びの一節である。日本のポピュラーサイエンス書の草分け的な一冊として書かれた本であり、しかもその末尾を飾る言葉なのだから、表向きの説明となっていても不思議ではないだろう。そうなると、お殿様の道楽、いや土井利位公を自然観察に駆り立てていた心情も、中谷を雪の研究に熱中させた心情も、それほど大きくは変わらないようだ。二人とも、まさに天恵である雪華を心から楽しんだのだ。

立春の卵伝説

前章で、中谷の「立春の卵」という随筆に触れた。立春の日に卵が立つという中国の言い伝えを日中米三カ所で試みたところ、実際に立ったという話を新聞で読み、疑問に感じて自分でも試し、立春以外の日でも時間さえかければ卵は立つことを確認したという話である。前稿では、卵が立つことに関する中谷の実験と論理的、科学的な説明の冴えを強調した。しかしその随筆ではもう一つ重要なことが語られていた。それは、「立春の日に卵が立つ」ことがなぜニュースとして重要なのかを、中谷が説いている点である。

こういう風に説明してみると、卵は立つのが当り前ということになる。少くもコロンブス以前の時代から今日まで、世界中の人間が、間違って卵は立たないものと思っていただけのことである。前にこれは新聞全紙をつぶしてもいい大事件といったのは、このことである。世界中の人間が、何百年という長い間、すぐ眼の前にある現象を見逃していたということが分ったのは、それこそ大発見である。(中略)何百年の間、世界中で卵が立たなかったのは、皆が立たないと思っていたからである。

『中谷宇吉郎随筆集』「立春の卵」岩波文庫より

未知の自然現象を解明することだけが科学ではない。日常生活において、科学的な思考、科学的な問題解決法を実践することもまた、科学といえる。それは、立春の日にだけ卵が立つという言説に疑問を感じ、すぐに実験を試みること。そして、卵はいつでも立つ理由を論理的に考えてみること。すると、意外な事実が見えてきて、長年にわたって信じられてきた先入観が崩壊し、新しい世界が眼前に広がることである。

ただし、そのためにはどのような実験を組み立てればよいかが重要となる。立春の卵の場合は、新聞という権威に引きずられることなく、自分でも卵を立てることに挑戦することが重要だった。立春以外の日でも卵が立てば、立春立卵説は即座にその根拠を失うはずなのだ。

思うに、中谷と同じ新聞記事を見た人はたくさんいたはずである。しかしその中で実験を試みた人が、はたして何人いたか。多くは、新聞記事中の「みなさん、今年はもう駄目だが、来年の立春にお試しになってはいかが」という言葉に引きずられ、そういうものかとなんとなく納得してしまったのではないか。そうだとすると、昨今の「あるある納豆事件」と根は大差ないような気もする。件の事件では、テレビ番組中での立証の甘さを多くの人が見抜けず、科学的、納豆はダイエットに効果的という結論のみに飛びついてしまった。テレビ局側も、科学的、論理的な根拠を示す努力をせずに、間に合わせの偽証言をでっち上げるだけで、最初から決めていた結論を垂れ流しにした。視聴者をなめていたといえばそれまでだが、視聴者側にも、そこに論理の飛躍があることを見抜く目がほしかった。

最後も中谷の引用で終わることにしよう。中谷は、「科学と文化」と題した随筆で、科学振興・普及は大いにけっこうだが、やり方が問題だと論じている。「眼新しい珍しい科学上の知識」を伝えるだけでは、

科学というものは米の飯のようなものだということを教え込むことは、先ず困難であろうと思われる。(中略)中の上位の科学者にならなら誰にでも出来て、しかも或る

程度まで間違いなく科学の知識の普及と、科学的な考え方の教授とが同時に出来るという方法を考えて見ることとする。それは結論をいってしまえば、ある自然現象について如何なる疑問を発し、如何にしてその疑問を学問的の言葉に翻訳し、それをどういう方法で探究して行なったか、そして現在どういう点までが明かになり、どういう点が益々不思議となって残っているかということを、筋だけちゃんと説明するのである。

『中谷宇吉郎随筆集』「科学と文化」岩波文庫より

この考えに沿って書き下ろしたのが、岩波新書第一弾として出版された『雪』だった。ぼくはこの、「科学というものは米の飯のようなものだ」という行が好きだ。最先端の小難しい知識だけが科学ではなく、科学とは日常生活を送る上での必須の思考法であり姿勢のことなのだと中谷が説いたのは一九二七年のことである。一世紀近くを経てもなお科学が米の飯とはなっていないことを、はからずも納豆事件が証してくれたというわけである。

3　書の起源

CLARK'S
TOWN BOOT TOP POLIS
CLARK, 523, Oxford Street, LONDON
Nearly opposite the Marble Arch.
CLARK'S
TOWN BOOT TOP POLIS
CLARK, 523, Oxford Street, LONDON
Nearly opposite the Marble Arch.
CLARK'S
TOWN BOOT TOP POLIS
CLARK, 523, Oxford Street, LONDON
Nearly opposite the Marble Arch.

『種の起源』縁起

旧聞に属する話だが、ダーウィンの『種の起源』はもうちょっとで存在しなかったかもしれない。当初ダーウィンは、自然淘汰について十全に論じた大著『自然淘汰説』を執筆中だった。当人はこれを「種のビッグ・ブック(Big Species Book)」と称し、完成まであと数年はかかると友人たちに漏らしていたのだ。ところが、マレイ諸島に滞在中の昆虫採集家アルフレッド・ラッセル・ウォレスから舞い込んだ手紙によって状況は一変した。

ウォレスは以前からダーウィンに標本を買い上げてもらったり、自然史学上の相談に乗ってもらっていた。そんなこともあり、マラリアの高熱に浮かされる中で思いついた、新種の起源に関する自説を述べた論文の草稿をダーウィンに送り、発表に値する代物と判断したならば、大御所チャールズ・ライエルへの紹介の労をとってもらえないかと依頼してきたのだ。ところがそれは、ダーウィン自身の自然淘汰説と瓜二つの内容だった。

結果的には、件のウォレスの論文と、ダーウィン自身の論文(実際にはそれ以前にまとめていた草稿と一通の私信からの抜粋)が、一八五八年七月一日に開かれたリンネ学会の集会で代読され、自然淘汰説の同時発表ということで事態は決着を見た。それはそれとして、われわれにとって幸いだったのは、ウォレスの手紙をきっかけにダーウィンが大著執筆の予定を断念し、その要約にあたる著書の完成を急いだことである。その結果としておよそ一年後の一八五九年一一月二四日に出版されたのが『種の起源』だったのだ。

『種の起源』は、要約と銘打ってはいるものの原著それ自体、本文だけで四九〇ページもある大著である。初版の刷り部数は一二五〇部、一冊一五シリングだった。ただし、著者の取り分や書評用などを除いて実際に書店に流通したのは一一七〇部だったと言われている。ダーウィンや出版元の予想に反して、売れ行きはよかった。出版社の宣伝文句的には、発売初日に完売したと言いたいところだが、流通経路や高速通信網の発達していない時代のことなので、何日で完売したかは知りようがない。ただし、版元はただちに増刷にとりかかった。二刷りは、若干の修正を施した第二版として、一八六〇年一月七日に三〇〇〇部が出版された。

当時にあってこの刷り部数がどれほどのものだったかはともかく、ここで注目すべきは、そもそも『種の起源』は専門家向けの学術書ではなかったという点である。この世紀の大著は、一般向けの教養書として出版されたのだ。そのこともあって脚註も引用文献もない。

ヴィクトリア朝イギリスの人びとは、なぜ『種の起源』を争って買い求めたのか。これは歴史的、社会的考察を要する大問題であり、ここでは取り上げない。ただ著述家ダーウィンに関して言えることは、一八三九年に出版した処女作『ビーグル号航海記』で著作家として名をなしてはいたものの、『種の起源』は必ずしも読みやすい本ではないということだ。ダーウィン自身、晩年に著した自伝の中で、「私は、自分の考えを簡潔明瞭に表現することにひどく苦労する」と書いている。

この苦労のせいで、時間を大いにむだにしてきた。しかしそのおかげで、一字一句に時間をかけて吟味せざるをえないという見返りもあった。その過程で、論理の誤りや、自分やほかの人たちの観察結果の誤りを見つけることがたびたびあったからである。まちがった意見やへたくそな文章を最初に書かせてしまう欠陥みたいなものが、私の頭にはあるようだ。

ダーウィン『自伝』より筆者訳

欠点が才能に転化?

ただし、時間をかけて推敲されたダーウィンの文章は、読みにくい点はあるにしても、読者の誤解を招きにくい文章であることはまちがいない。ダーウィンの文章に関して、イギリスの精神療法家アダム・フィリップスが興味深い考察を加えている。

ダーウィンは、時間を失うことで、別のものを得ていた。即座に簡潔明瞭な文章を書ける能力が理想だったが、その望みは絶たれる代わりに、注意深さという別のものを手にしていたのである。最初に書く文章はへたくそな上に間違っているという欠点が、逆に才能となっていたのである。ダーウィンが書こうとしていること、彼に書くことを可能としているのは、時間の損失についてだった。著述における癖としてダーウィンは、自分がある意味での喪失を生み出す行為をしていることに気づいている。まるでその喪失の経験、時間の損失それ自体が、皮肉なことにさらなる人生の源であり、より良い文章の源のようだった。障害が武器であることが証明され、損失が天職となる。著述の仕方について、ダーウィンは書いている。それが実際に「時間を大いにむだに」することであるのは、たくさんの良い文章を提供してくれたからである。別のものを見つけるために、時間をむだにするしかなかったのである。このむだは、一つのアートである。なにしろ、新しいタイプの細心さを生み出しているのだから。

アダム・フィリップス著、渡辺政隆訳『ダーウィンのミミズ、フロイトの悪夢』みすず書房よりダーウィンは、そこまで呻吟しながら文章を紡ぎ出し、人びとにメッセージを送り出していたのである。懸案のビッグ・ブックはついに未完のまま日の目を見なかったが、それはむしろよかったのかもしれない。ダーウィンが最も信頼していた年下の盟友で植物学者のジョゼフ・フッカー(一八一七〜一九一一)も、要約版である『種の起源』ではなく全三巻を予定していた完全版の『自然淘汰説』を最初に世に問うていたとしたら、読者はほとんどいなかっただろうと、ダーウィン本人に感想を伝えていた。ビッグ・ブックに盛りこまれるはずだった内容の一部は、その後、『飼育栽培下における動植物の変異』全二巻として日の目を見た。

それはともかく、『種の起源』の登場によって世界が一変した背景には、専門家向けではなく一般読者も意識して書かれた本だったことが大きかったはずなのである。

サイエンティストの起源

科学の専門家、すなわち科学者は、いうなれば科学を生業とする人たちである。だが、『種の起源』が出版された当時、少なくともイギリスには、そういう意味での科学者は決して多くなかった。たとえばダーウィンは、働く必要のない資産家であり、一生涯、職に就くことはなかった。一八世紀の「科学者」、たとえばかのニュートンはどうだったのかといえば、彼は「科学者」である前にケンブリッジ大学の聖職者であり自然哲学者だった。科学はあくまでも、自然界に見られる神の御業を理解するための方法だったのだ。では彼らが何と呼ばれていたかといえば、man of science とか friends of science、cultivators of science などと呼ばれていた。

英語で科学者を意味するサイエンティストの起源は、一般には一八四〇年とされている。ケンブリッジ大学トリニティカレッジの学長だった哲学者ウィリアム・ヒューエルが、その著書『帰納科学の哲学』(一八四〇)の序文で、「科学を研究する者を総称できる名がどうしても必要である。これをサイエンティスト(科学者)と呼ぶことを提唱する」と書いているというのだ。

しかし、厳密に言うと、サイエンティストの起源は一八四〇年ではない。命名者はヒューエルでまちがいないのだが、最初に提唱したのは一八三三年、英国科学振興協会(BA)の年次総会においてだった。英国科学振興協会は、イギリスにおける科学の普及を目的に一八三一年に創設され、毎年一回、国内で開催都市を変えて年次総会を開いていた。そうした気運が盛り上がる中で、ヒューエルは、科学の振興に励むメンバーの呼称がぜひとも必要だと考えたわけである。

文書における使用は、ヒューエルが一八三四年に『クォータリー・レヴュー』誌に書いた書評が初出である。そこでは、アートに対するアーティスト、エコノミーに対するエコノミストの伝から言って、サイエンスに対してはサイエンティストがいいと思うと

図1　メアリー・フェアファックス・サマヴィル　K. A. Neeley『Mary Somerville』Cambridge U. P. より

説明している。

サマヴィルにはじまる奇しき因縁

ここで気になるのは、ヒューエルがそのとき書評の対象としていた本とその著者だろう。それは、メアリー・フェアファックス・サマヴィル（一七八〇～一八七二、図1）という女性が書いた『物理科学の諸関係』という物理学の本だった。サマヴィルは、ほぼ独学で数学と物理学を学び、学術論文を発表する傍ら一般向けの物理学と数学、天文学の本を執筆していた。

サマヴィルは、オックスフォード大学の女子カレッジにその名を残している。また、一八三五年には、もう一人別の女性とともに英国天文学会初の女性名誉会員に選ばれている。もう一人別の女性とは、天文学者である兄F・W・ハーシェル（一七三八～一八二二）の助手として天王星が惑星であることを共同発見し、また世界で初めて女性として彗星を発見したカロライン・ハーシェル（一七五〇～一八四八）である。

脱線ついでに、さらなる奇しき因縁を紹介しておこう。ダーウィンの『ビーグル号航海記』には、新種の起源は「謎のなかの謎」であるという有名な言葉が登場する。ところがこの文句は、ダーウィン自身の言葉ではない。ダーウィンは、ビーグル号航海の途上で南アフリカのケープタウンに立ち寄った際、かの地のケープ天文台で研究していたJ・F・W・ハーシェルの謦咳《けいがい》に接した。ダーウィンは、ケンブリッジ大学在学中に科学の方法論を説いたハーシェルの著作を読んで以来、J・F・W・ハーシェルを師と仰いでいたのだ。このハーシェルはカロライン・ハーシェルの甥(彼女の兄F・W・ハーシェルの息子)にあたる。「謎のなかの謎」という言葉は、J・F・W・ハーシェルが、これまたダーウィンが密かに師と仰いでいた地質学者チャールズ・ライエルとの往復書簡の中で記した言葉だった。

科学を語る人でもあったサイエンティスト

科学の振興を図る中で、科学の研究と普及に携わる者の呼称としてサイエンティストという呼称が誕生したことの意義は大きい。なぜなら、少なくとも最初から、サイエンティストの使命として科学の普及が位置づけられていたことになるからだ。

ただしこの時点では、すでに述べたように職業サイエンティストはまだまれだった。たとえば「サイエンティスト」第一号ともいうべきサマヴィルは、早くに死別した最初の夫の遺産と再婚した夫の財産、および国王から自らに付与された年金で生活する在野の研究者兼ライターだった。それとは別に、著書の売り上げも、収入として無視できなかったかもしれない。ちなみに件の『物理科学の諸関係』は、トータル一万五〇〇〇部の売り上げだったという。

では、イギリスの職業的サイエンティストはいつの頃から増えたのだろう。科学の職業化を促進した立役者こそ、「ダーウィンのブルドッグ(番犬)」の異名を持つトマス・ヘンリー・ハクスリー(一八二五~九五)だった(ただし彼は、サイエンティストという呼称は嫌っていた)。財産も家柄も有力者の後ろ盾もない身分から自らの才覚一つで身を起こしたハクスリーは、権力者側に立つ「サイエンティスト」に対して敵意に近いものを抱いていた。彼は労働者相手の公開講座を積極的に開くなど、科学の民主化に力を入れることになる。

才知に長けたハクスリーは、ダーウィンの『種の起源』を一読するや、進化論こそまさに科学界の権力者たちを打倒するための格好の旗頭であることに気づいた。そして、ダーウィンの自然淘汰説自体にはいささか懐疑の念を示しつつも、ダーウィン擁護の急先鋒になったのである。一八六九年に科学誌『ネイチャー』を創刊したのも、科学の民主化を推進するための機関誌が必要だったからにほかならない。ハクスリーは、初等中等教育における科学教育の普及にも力を入れた。

ハクスリーは、弁舌と筆力に秀でていたことでも知られる。一八六三年に発表した『自然界における人間の地位に関する証拠』は、労働者向けの公開講座での講義を基に書き下ろした小冊子である。そこでは、ダーウィンの『人間の由来』(一八七一)に先鞭をつけるかたちで、ヒトと類人猿が共通の祖先に由来することを説いている。そのほか、格調高い英文で認《したた》められた数多くのエッセイが知られている。

ハクスリーは科学の雄弁な語り手だった。ダーウィンは、雄弁とは言えないかもしれないが、一般読者に向かって真摯に科学を語った。そしてサイエンティストという呼称が提唱された際に俎上に載せられていたサマヴィルも、研究者にして優れたライターだった。サイエンティストとは、本来、人びとに科学を語る人でもあったのだ。

descent with modification

4 ポピュラーサイエンスの誕生

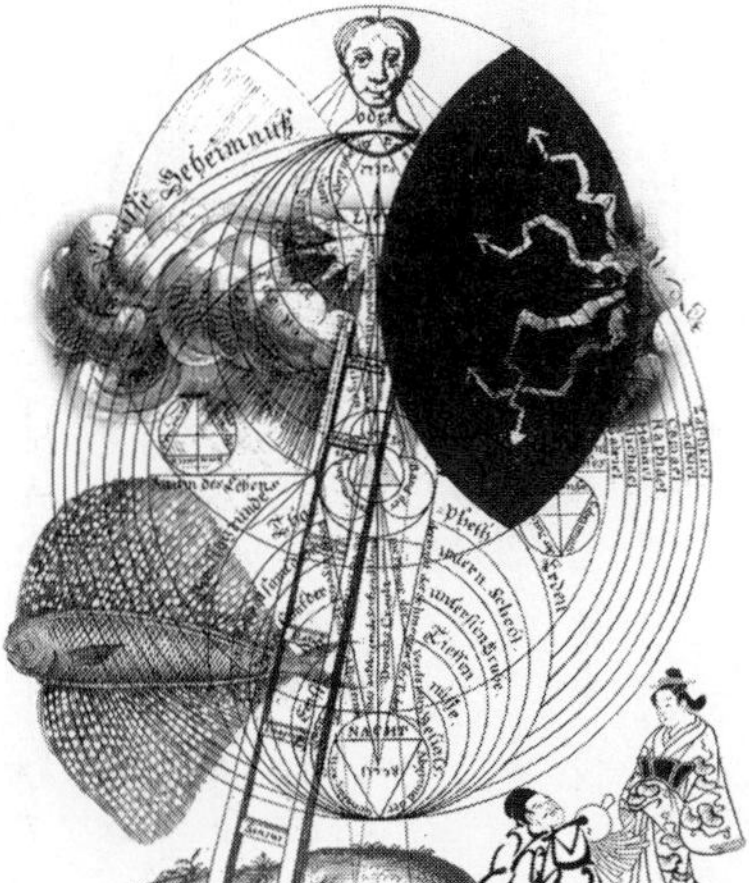

科学の庶民化

科学革命を起こした歴史的な書『種の起源』が一般読者向けに書かれた本だったことは前章で述べたとおりである。

そのことについては、やはり一般向け科学書の著者としても高名な、進化生物学者でハーヴァード大学教授だった故スティーヴン・ジェイ・グールドが好んで紹介していた逸話がある。過去何年もの間、ダーウィンの『種の起源』を読んだ何人もの進化生物学専攻の大学院生から、「一般向けのやつは読み終わりました。おもしろかったです。次は、素人向けに加減した『種の起源』を書く前にダーウィンが専門家向けに書いた専門書のほうを読みたいので、どの本か教えてください」という質問を受けてきたというのだ。グールド独特の諧謔《かいぎゃく》と脚色を差し引いたとしても、ちょっと笑える証言である。

同じグールドがやはりエッセイの中で何度も開陳している持論は、一般読者を意識した科学書を著した草分けこそ、かのガリレオ・ガリレイだというものだ。なぜなら、ガリレオが一六三二年に出版した『天文対話』(青木靖三訳、岩波文庫)は、当時の教養書としては異例なことに、ラテン語ではなくイタリア語で書かれたものだったからだという。

そしてまさに、ガリレオとダーウィンを対比して次のように述べている。

偉大な科学者は、テーマや著者の信用や香りを損なうことなく、偉大なポピュラー化を成し遂げてきた。一七世紀のガリレオを見てみよう。ガリレオの主著は、当時の学者向けの公用語であるラテン語ではなく、イタリア語で、一般読者を意識した対話形式で書かれている。(中略)一九世紀においては、かのチャールズ・ダーウィンが、最高の革命的科学書である『種の起源』を、一般読者向けの書として著した。私はよく、『種の起源』のオリジナル論文はどれですかと、学生から聞かれる。あの一般向けの本は、一般書にして専門書という、対立概念ではない二つの機能を完全に満たしているというのが、それに対する私の答である。

S・J・グールド著、渡辺政隆訳『マラケシュの贋化石』「綺羅星のなかの一等星」早川書房より

天動説を擁護した『天文対話』が教皇庁の怒りに触れたのは、その内容以前に、ラテン語を解さない庶民にも読める言語で書かれたことが大きかった。その二〇年あまり前にラテン語で出版した『星界の報告』(山田慶児・谷泰訳、岩波文庫)は、コペルニクスの地動説を強く意識した内容だったにもかかわらず、おとがめなしだった。

ところが、科学の研究内容は複雑化、細分化し、門外漢に限らず、専門の近い科学者間でさえ、その内容を把握しがたくなっている。したがって、ガリレオからダーウィンへと受け継がれた、一般読者に向かって科学を語る伝統を実行するのは、今や生やさしいことではない。おまけに科学のポピュラー化、すなわち一般向けの科学書を書くことは、科学者にとっては諸刃の剣ともなりうる。一般人向けに科学をやさしく説く作業は、一流の科学者が手を染めるような仕事ではない、一流半以下の科学者、あるいは引退した科学者にまかせておけばよいという風潮が、古今東西を問わず根強く存在するからである。

そうした風潮の最たる犠牲者が、アメリカの天文学者カール・セーガンだった。セーガンは、一九八〇年に全米で放映されたテレビ番組シリーズ『コスモス』で、一躍ポピュラーサイエンス界の寵児となった。この番組は、世界の六〇カ国五億人あまりの人が見たといわれている。しかもそれをもとにした書籍(木村繁訳『コスモス』朝日文庫)はニューヨーク・タイムズ紙のベストセラーリストに一〇〇週以上にわたって登場し、科学書としては過去最高の売り上げを記録した(ただしその記録はその後、スティーヴン・ホーキングの『ホーキング、宇宙を語る』(林一訳、早川書房)に抜かれた)という。

そのセーガンは、科学界の殿堂ともいうべき米国科学アカデミーの会員に選ばれることはなかった。彼は単なるポピュラライザーであって、科学者としてはたいしたことないという印象が、アカデミー会員の中で優勢だったからといわれている。しかし、セーガンの生涯論文数は、『銃・病原菌・鉄』(倉骨彰訳、草思社)などのベストセラーで知られるジャレド・ダイアモンド、二度のピュリッツァー賞に輝いた社会生物学者E・O・ウイルソン、そしてグールドなど、ほかの著名なポピュラライザーで、しかもアカデミー会員である科学者と比較しても、遜色ないという調査がある。

もしちがいがあるとすれば、セーガンの場合は、アカデミー会員に選ばれる前に世間で有名になってしまったということなのだろう。このように、世間における人気度やセレブ度が、科学コミュニティ内における評価と反比例する現象は、「セーガン現象(セーガンエフェクト)」とか「セーガン化(セーガナイゼーション)」と呼ばれている。

> 報道機関で自分の名前が大々的に取り上げられることを許した科学者は、リスクを背負い込むことになる。もしその科学者がジョニー・カースン・ショウに出たり、テレビ番組でホスト役をつとめようものなら、待ち受けているのは破滅かもしれない。私が言っているのは、私が「セーガン化」と名づけた現象である。
>
> D・M・ラウプ著、渡辺政隆訳『ネメシス騒動』平河出版社より

セーガン化の洗礼を受けている科学者は多い。ほかならぬグールドもその一人である。

古生物学者、進化生物学者、科学史家としてのグールドの業績に異論を唱える同業者はいないにもかかわらず、グールドはあくまでもポピュラライザーであり、研究者としては並だという声は、他分野の科学者、とくにグールドが痛烈な批判を浴びせた社会生物学や進化心理学などの陣営に根強くある。

かつてぼくは、当のグールドに、そうしたセーガン化についてどう思うかと尋ねたことがある。それに対する彼の答は、「ジェラシーのせいさ!」の一言だった。それについては、いみじくも盟友セーガンに対する追悼文でも指摘している。

サウル王は、自分より一〇倍もの賞賛を浴びたダビデを嫌悪した。世のために有益な仕事をした科学者が同じ科学者仲間から非難されることがよくあるが、それもサウルの場合と同じ嫉妬心のなせるわざである。現代も、サウル王の時代とさしてちがわない。(中略)科学者はみな、自分たちの研究を一般の人たちにわかりやすく伝えることの大切さについて、口にはする。それなのになぜ、科学の美しさとすごさを、たいがい知識はないにしても興味はある公衆の心に訴えかけられる科学者の、科学者としての評判にけちをつけるのだろうか。

このような狭量な過ちは俗物主義の最たるものだが、そもそもは、ポピュラー化、すなわち一般の人に科学を語るという栄誉ある長き伝統が、概して無視されてきたことに原因の一端がある。その結果として、一般向けの解説は陳腐化にほかならないとか、正確さの削ぎ落としであると決めつけてしまうのだ。

「綺羅星のなかの一等星」より

それでも、科学のポピュラー化の貢献度は大きい。アメリカの読書界において、ポピュラーサイエンスが一般読書人のあいだに広く浸透したのはそれほど昔のことではない。サイエンスコミュニケーション論の専門家による分析によれば、ニューヨーク・タイムズ紙の週間ベストセラーリストに、ポピュラーサイエンスが登場する率が年間一〇冊をほぼ常時超えるようになったのは、一九七八年以降のことだという。そのきっかけとなった出来事は、件のセーガンが一九七七年に出版した『エデンの恐竜』(長野敬訳、秀潤社)がピュリッツァー賞に輝いたことだという。それをきっかけに、読書人たちがポピュラーサイエンスにも目配りをするようになり、日常会話で科学が話題にされることも多くなったというのだ。かくのごとく、カール・セーガンが果たした役割は大きい。セーガン化の対象となる危険を省みず、科学を語る人たちの存在はとても大切なのだ。

活字メディアという強み

メディア全般が社会に与える影響は大きいが、テレビや映画、新聞などは言うなれば

「揮発性のメディア」であり、放映や上映が終わったり、翌日になければ情報が揮発しかねない（DVDという記録媒体の登場で事情が変わる可能性はあるが）。それに対して書籍は、半永続的な活字媒体として持続的な影響力を発揮しうる。

リチャード・ドーキンスは、進化生物学のポピュラライザーとしてグールドと人気を二分する存在である。彼の衝撃のデビュー作は、言わずと知れた『セルフィッシュ・ジーン(利己的な遺伝子)』だった。一九七六年に出版された原書は、切れ味鋭い文体と挑発的な書名により、世界中で大反響を巻き起こした。それを受けて一九八〇年に邦訳書が出版されたが、『生物＝生存機械論』(日高敏隆他訳、紀伊國屋書店)なる邦題だったせいもあってか、日本国内の一般読書人の間ではさほどの評判にはならなかった。そのムードが一変したのは、原書の増補版が出たことを受け、『利己的な遺伝子』(日高敏隆他訳、紀伊國屋書店)と改題された増補改訂版が出版された一九九一年以降のことだ。その改題が巻き起こした反響の一端を見たのが**図1**である。

図1は、国立情報学研究所が提供する文献検索サービス「ウェブキャット・プラス」を利用し、書名ないし副題に「遺伝子」という文字が入っている書籍の出版点数を経年的に調べた結果である。専門書、一般向け科学書、一般書という分類はぼく自身の恣意的な判断による。一般書には、小説やビジネス書、コミック、写真集などが含まれている。たとえば、『〇〇経営の遺伝子』といった類の書籍である。

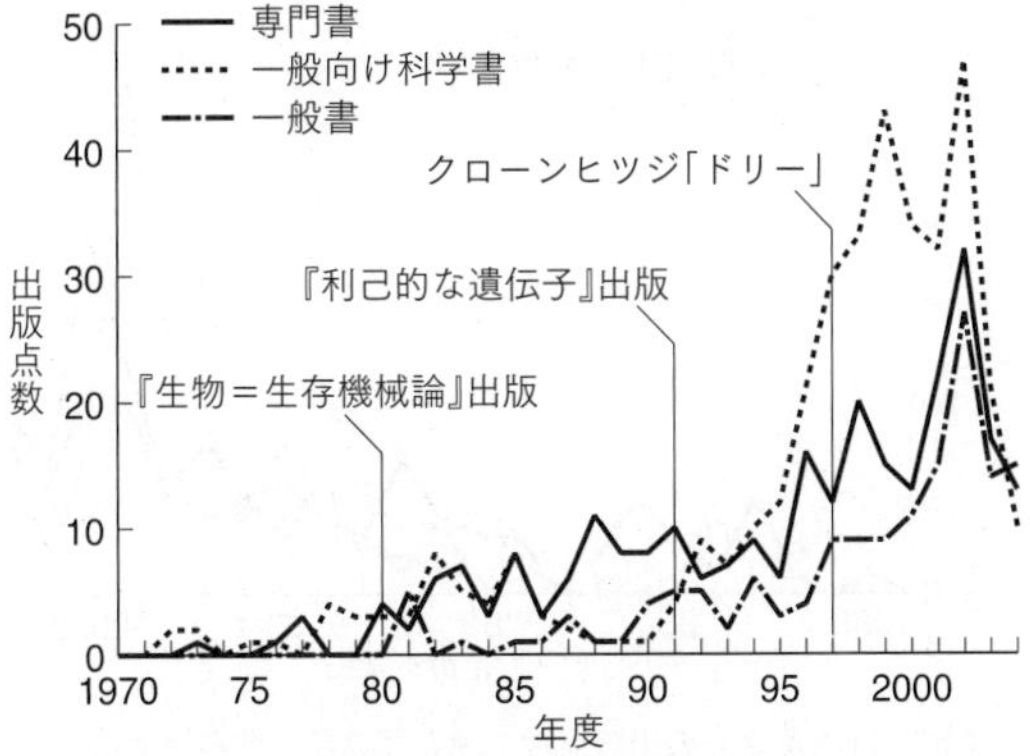

図1 「遺伝子本」の出版点数 国立情報学研究所の Webcat Plus によるデータ検索において，書名ないし副題に「遺伝子」の文字がある書籍(785点)の分野別出版点数の経年変化．一般書には小説，コミック，写真集などが含まれる

これで見るように、ドーキンスの『利己的な遺伝子』が、遺伝子という言葉に市民権を与え、各種「遺伝子本」出版の呼び水になった可能性がうかがわれる。ただし、そのせいで「遺伝子」という言葉の使い方に混乱や誤解が生じ、それがいまだに解消されていないというマイナス効果をもたらしたことも否定できそうにない。

それと同様の傾向は、「DNA」という言葉にも見られる。**図2**は、国会図書館の蔵書検索サービスを用いて、書名ないし副題に「DNA」という文字が入っている書籍の出版点数を調べた結果である。一般書の中には、『DNA殺人事件』といっ

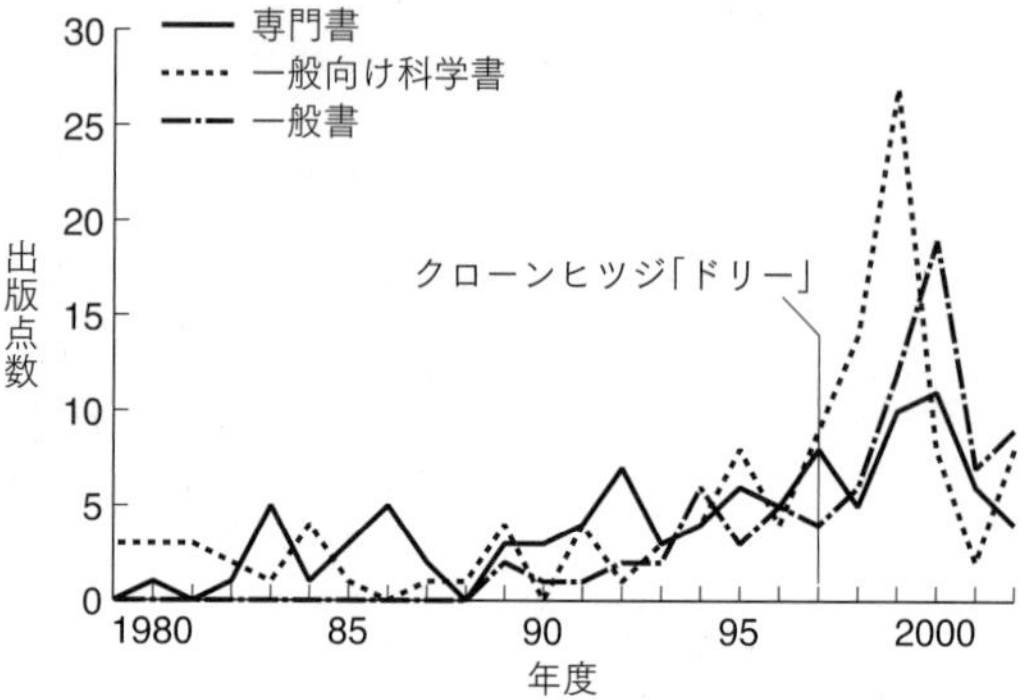

図2 「DNA本」の出版点数 国会図書館の蔵書検索において，書名ないし副題に「DNA」の文字がある書籍(291点)の分野別出版点数の経年変化．一般書には小説，コミック，写真集などが含まれる

た書名の推理小説や、『モーニング娘。のDNA』といった書籍が含まれている。この「DNA本」に関しては、一九九七年以降に増加傾向が見られる。

一九九七年の科学の重大ニュースといえば、クローンヒツジ「ドリー」(図3)の誕生だろう。このニュースが二月に発表されるや、人間のクローンづくりへと話題が発展し、たいへんな騒動となった。それもすでに遠い過去のことだが、DNAという言葉は、たとえば「イチローのDNA」とか「ソニーのDNA」といった使い方で、お茶の間にもすっかり定着した感がある。

こうした使い方が初めて公のメディアに登場したのは、ぼくの記憶では、ホンダの新型アコードのテレビコマーシャルだったと思う。そこでは、HONDAのロゴを並べ替えたアナグラムとしてＤＮＡの文字をつくり出し、ホンダのレーシングスピリットを強調していた。そのコマーシャルを制作した会社に確認したところ、放映は九七年九月から九八年一月までで、アイデアは、件のクローンヒツジ誕生の報道により、ＤＮＡという言葉が市民権を得たとの印象を受けたことがきっかけだったという。

かくしてテレビに流れた「ＤＮＡ」のイメージは、各種書籍や新聞週刊誌などの書名や見出しに使われることで、日常語として定着していったのだろう。

図3　クローンヒツジ「ドリー」　スコットランド国立博物館で展示されている「ドリー」の剝製

科学「遺伝子」の大爆発?

遺伝子とかＤＮＡという科学用語が社会に出て一人歩きを開始し、本来とは異なる意味合いを帯びて定着していく過程は、まさにドーキンスが『利己的な遺伝子』で提唱した「ミーム」現象にほかならない。その功罪は別にして、科学を語る際には、そうした波及効果も射程に入れる必要がある。

ドーキンスの例ばかり出したのではグールドに申し訳ない。そこでグールドがまいたミームの種子が日本で花開いた例についても紹介しよう。

グールドが一九八九年に出版し、一九九三年に邦訳された『ワンダフル・ライフ』(渡辺政隆訳、早川書房)は日本も含めて世界中で大きな話題となった。この本は、今を去ること五億一〇〇〇万年ほど前(カンブリア紀初期)の浅海に生息していた奇妙奇天烈な生きものバージェス動物の誕生と絶滅の謎、そしてその研究史を描いた一大絵巻である。邦訳書出版直後にNHKでも特集番組が制作され、各地の科学館を巡回する「バージェス・モンスター展」まで出現したと記憶している。

巷では二〇〇六年から、アノマロカリスが番組キャラクターを務める「日経スペシャル　カンブリア宮殿」と題したテレビ番組が放映されている。その番組ホームページには、次のような謳《うた》い文句がある。

カンブリア紀――
地球で起きた生命の大爆発。
次なる進化を求めて生物が一斉に誕生した。
あれから五億五〇〇〇万年――
平成の時代に起きた経済の大変革。

未来の進化を担って、
今、多種多様な人物が次々と誕生している……
そんな〝平成カンブリア紀の経済人〟を迎える
大人のためのトーク・ライブ・ショー

グールドが『ワンダフル・ライフ』を執筆したのは、バージェス動物をめぐるめくるめく物語を古生物学者以外の人たちにも知ってほしかったからである。そのメッセージがメタファーとして使われるようになって「カンブリア宮殿」に結実したとなれば、著者の意図はそれなりに活かされたと言えるかもしれない。

サイエンスライター宣言

科学のポピュラー化はさまざまな功罪をはらんではいるが、科学を文化の一部、「米の飯」並みの存在にする上では欠かせない活動である(第2章参照)。こうした動きを活性化するためには、一般の読者に向かって科学をきちんと語る人が、まず必要だろう。前章で論じたように、元来、それを行なう人は、ヒューエルの言う広い意味での「サイエンティスト」だった。しかし今や、それには別の意味が付加されている。ならばあっさりと、サイエンスライターと呼んでしまえばいい。

すでに何度も言及したスティーヴン・ジェイ・グールドは、研究論文以外の一般読者向けのポピュラーサイエンスの執筆に関してはサイエンスライターの仕事と位置づけ、自らサイエンスライターと名乗っていた。サイエンスライターというと、科学分野を専門にする職業作家であるかのような印象があるが、職能あるいは機能と考えれば、呼び方として違和感はない。つまり、職業的科学者でも、一般読者を意識した執筆をする際には、サイエンスライターとしての仕事をしていることになる。

問題があるとしたら、日本では「サイエンスライター」という呼称が、これまでさほどポピュラーではなかった点だろう。ありていに言えば、あまり地位が高くなかった。その証拠と言えるかどうかはわからないが、科学関係の著作も多い立花隆が名乗る肩書きは、もっぱら評論家だが、一九九八年にアメリカの科学誌『サイエンス』に寄稿した際には自らを「日本のサイエンスライター」と紹介している。あるいは、科学系の記事や著書を執筆している作家の多くは、ノンフィクションライターとは名乗っても、サイエンスライターと名乗っている例はこれまで少なかった。

一方、アメリカやイギリスには、それぞれサイエンスライター協会がある。そこには、広い意味のサイエンスコミュニケーターで、多少なりともライティングに関係しているさまざまな職種の人が参加している。言葉のイメージは人口に膾炙するうちに変わっていく。それこそがミームである。そうした事情を踏まえた上で、世紀の変わり目を機にぼくは意識して、自らサイエンスライターを名乗るようになった。

サイエンスライティングとは、科学の単なる「翻訳」ではない。セーガンやグールド、あるいはドーキンスは、自らも含めて数多の科学者たちが科学の方法を駆使することによって獲得した膨大な知識の体系を背に、無限の宇宙や時間の深淵について語り続けてきた。科学の力を信じればこそ、偽科学や科学の誤用と最後まで闘ったのだろう。親しい友人どうしだった二人はすでに亡く、ドーキンスのみが健在だが、彼らがまいた種は確実に育っていると信じたい。

5 自然の覗き窓

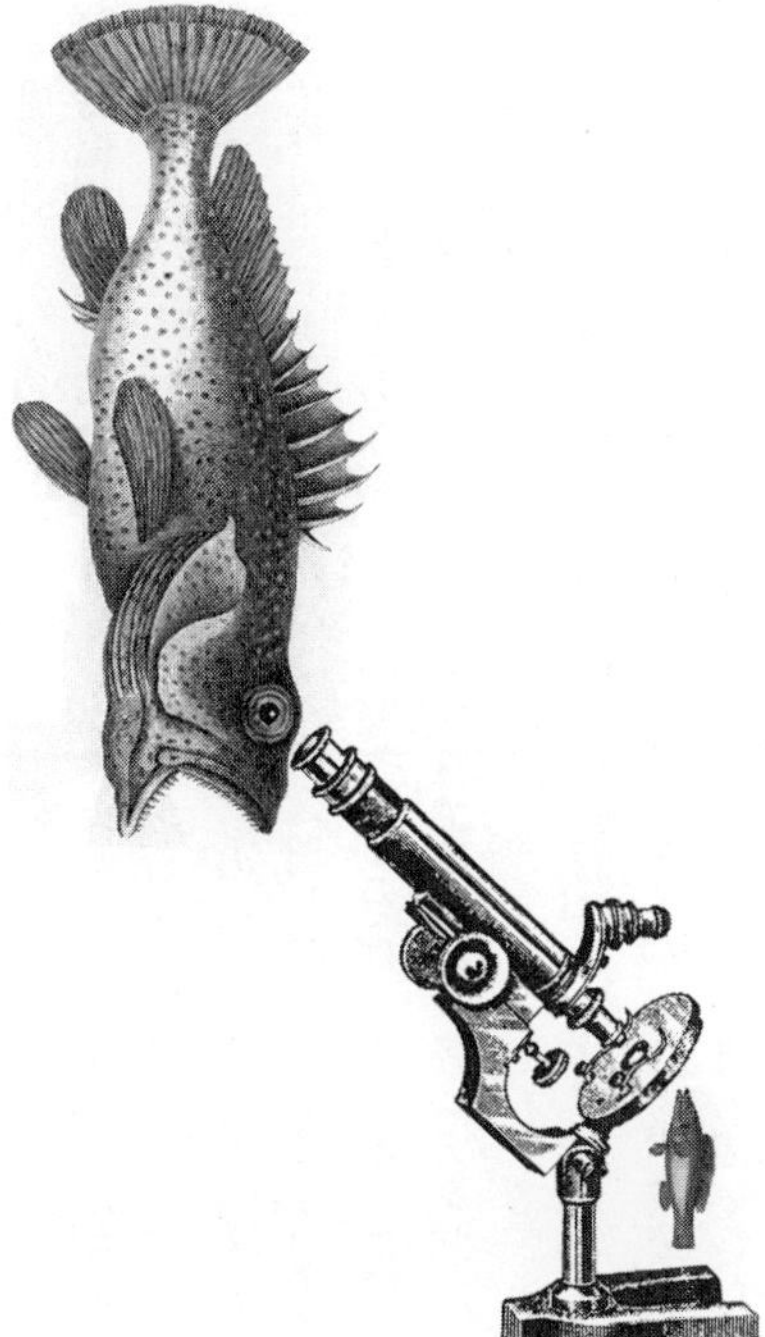

ミューズの神殿

博物館と聞いて何を思い出すだろうか。

ぼくの周辺のきわめて偏った限定的なサンプリングによれば、ダントツに多いのが、かつてNHK「みんなのうた」で流れた「メトロポリタンミュージアム……」という歌とアニメだった。大貫妙子が作詞・作曲し、自ら歌ったこの曲の正式名は『メトロポリタン美術館』。女の子が夜のミュージアムに紛れこみ、大理石像の天使に赤い靴下を貸してあげたり、ミイラとダンスしたあげく、ドガの踊り子とおぼしき絵の中に閉じこめられてしまう。透明感のある歌声と、ちょっぴり不気味で不思議なアニメを強烈なイメージとして記憶にとどめている人が多いようなのだ。

かくいうぼくも、博物館のことを思うと、頭の中で自動的にあの歌がスタートしてしまう(アニメのほうは記憶にないのだが)。歌詞の中の、「タイムトラベルは楽し」という一節などは、過去を覗き見る窓としての博物館というイメージを喚起させてくれるので、とくに好きだ。

ただし、ニューヨークに実在するメトロポリタン・ミュージアムの日本語名称は、歌のタイトルにもあるように「メトロポリタン美術館」(通称メト)である。メトには、近代絵画はもちろん、ファラオのミイラや古代ギリシア・ローマ時代の大理石像をはじめとして、古今東西の古美術が大量に収蔵展示されている。博物館・美術館を意味するミュージアムは、元を正せば芸術・学問を司るギリシア神話の女神ムーサ(ミューズ)を祭る神殿に由来する名称である。したがって、もともとカバーする範囲は広い。

ニューヨークのマンハッタン島には、メトロポリタン美術館とはセントラルパークをはさんだ反対側に、アメリカ自然史博物館がその威容を誇っている。こちらの英語名は、アメリカン・ミュージアム・オブ・ナチュラルヒストリー。二〇〇七年上半期に大ヒットしたハリウッド映画『ナイト ミュージアム』の舞台となった博物館でもある。自然史博物館の名にふさわしく、恐竜はもちろん、自然の景観をそのまま切り取ってきたようなジオラマ展示から、最新鋭のプラネタリウムまで、盛りだくさんの趣向がつめこまれている。ただし、映画に登場するコロンブス像、モアイ像、セオドア・ルーズベルト像、西部開拓史や古代ローマ史の一コマを描いたジオラマなどの展示はないので念のため。

博物館の起源

博物館学なる講義では、一般人にも公開する世界最初の公共ミュージアムができたのは一六八三年のことだと教えられるという。オックスフォード大学付属のアシュモール博物館がそれ。法律家にして科学の愛好家、そしてなによりも古物の蒐集家だったエリアス・アシュモール(一六一七〜九二)が大学に寄贈したコレクションを収蔵するために建設されたのが、その起源である。

ただし、蒐集家にはとかくきな臭い話がつきものであるように、アシュモール・コレクションにも秘された事実がある。公式の記録では、アシュモール・コレクションのかなりの部分は、やはり博物学関連の蒐集家として著名だったジョン・トラデスカント親子(父子同名)のコレクションを寄贈されたものとなっている。父である大トラデスカント(一五七〇〜一六三八)は国王の庭師、植物学者として名をなしていた。ムラサキツユクサの属名トラデスカンティア Tradescantia は、かのリンネ(一七〇七〜七八)がこの大トラデスカントの栄誉を讃えて命名した学名である。それと同時に大トラデスカントは世界中から集めた珍品を自宅内の博物館「方舟《はこぶね》」に展示し、公開していた。そのコレクションには、次のような珍品が含まれていた。

- バビロニアのベスト
- トルコ産のさまざまな卵——ドラゴンの卵を含む
- エルサレムの族長のイースター・エッグ
- 不死鳥の尾羽二枚

- ロック鳥の爪――この鳥はゾウを串刺しにできるほど大きい
- モーリシャス島産のドードー――大きすぎて飛べない鳥
- 長さ三インチのざらざらした角の生えたウサギの頭
- 棘の生えたフグ

父のコレクションを継いだ息子の小トラデスカント（一六〇八〜六二）も庭師、博物学者として収蔵品の拡充に努め、一六五六年には、アシュモールの助言と資金援助を得て収蔵品カタログを出版した。

しかし、方舟コレクションの価値を認め、無私の助力を惜しまないかのように見えたアシュモールの真意は別のところにあった。アシュモールは、方舟コレクションをわがものにする機会を虎視眈々と狙っていたのだ。そこでまず、この貴重なコレクションを末代まで伝えるには、管理を自分にまかせたほうがよいと、折を見てはトラデスカントを説得する作戦に出た。そしてついに一六五九年、全コレクションをアシュモールに寄贈し管理を委託するという証書への署名をトラデスカントから取りつけることに成功する。その対価として、形式的に一シリングを支払うという条件で。

むろん、そのままで終わるはずはない。ことの重大さに気づいたトラデスカントの妻ヘスターが契約の履行に抵抗したのだ。それに対してアシュモールは法廷闘争に打って出て、コレクションの大半を手中に収めることに成功する。そして、トラデスカント家の所領内の池でヘスターの溺死体が発見された一六七八年、アシュモールの野望はついに完全に達成されることになった。つまり、アシュモール博物館は、むしろトラデスカント博物館と呼ばれるべきものだったのだ。

そうした秘史はともかく、創建されたアシュモール博物館には、収蔵品の展示公開だけでなく、化学の実験室と自然の叡智の研究施設としての機能も付加されていた。現在、オックスフォードのボーモント街にはネオクラシック様式の堂々たる建物のアシュモール美術館がそびえているが、それは一八四五年に建造された建物である。一六八三年にブロード街に建設されたオリジナルの建物は、増改築を経たうえで科学史博物館と名を変えて現在も公開されている。

同科学史博物館には、今も、アシュモール博物館のエンブレム入りのステンドグラス(図1)が残っているほか、地下室に設えられた当時の化学実験室を再現した展示も見られる。ぼくが訪れたときには、改修工事中のアシュモール美術館からアシュモール・コレクション、いや、トラデスカント親子の方舟コレクションの原点ともいうべきキャビネット(図2)が一時的に移設され展示されていた。写真を見てわかるように、博物館の原点は、レイヨウの角、ノコギリザメの「ノコギリ」(実際は鋭いトゲの生えた口先)、カメの頭骨、ワニの皮、ゾウの歯など、当時のヨーロッパ人の好奇心を駆り立ててやまない珍品の数々を飾った「好奇の陳列棚(キャビネット・オブ・キュアリオシティ)」だ

図1　科学史博物館のステンドグラス　アシュモール博物館のエンブレムが入っている

図2　科学史博物館の展示　改修工事中のアシュモール美術館から一時的に移送展示されている．右上：レイヨウの角，右中：ワニの皮，左上：ノコギリザメの「ノコギリ」，右下：カメの頭骨，左下：ゾウの歯

ったのだ。

科学の神殿の誕生

一八四五年にボーモント街に建設された現在のアシュモール美術館は、オックスフォード大学が創立から一世紀半あまりを経て増えつのった収蔵品に対処するためのもので大学所蔵の美術品や考古学関連のコレクションもそこに統合した。さらには、医学を講じていた教授ヘンリー・アクランド(一八一五〜一九〇〇)が、自然の造物に神の叡智を読み取るには、学内に分散している解剖学、自然史学の標本を一堂に集めた博物館を建設し、科学の殿堂を設立する必要があると大学に訴え、自然史学のコレクションを収容するための博物館(現在のオックスフォード大学自然史博物館)の建設が一八五五年六月二〇日に開始された。定礎式に際してアクランドは次のような祈禱文を捧げたという。

願わくは、今この地に建てられし建物が、主の創造力の驚異を示す科学の進歩をはぐくまんことを。天にましますの主の御加護によりて、かく分け与えられし知識が、主の偉大さと知恵と愛をもってわれらを満たさんことを。

D・ラック著、丸武志訳『天上の鳥アマツバメ』平河出版社より一八五九年に完成したのは、高さ一八メートルのとんがり帽子のような塔を頂いたネオゴシック様式の教会を模した建物だった(図3)。科学が自前の神殿を所有するに至ったのだ。当時の著名な美術批評家で、アクランドの盟友でもあったジョン・ラスキン(一八一九〜一九〇〇)は、完成した建物の外観には必ずしも満足していなかったものの、これで主の栄光を讃えると同時に世界に冠たる大英帝国を支える人材の教育を推進するための象徴ができたと喜んだ。一方、桂冠詩人のアルフレッド・テニソン(一八〇九〜九二)は、建物の前をたまたま通り過ぎた際に、一言、「俗悪きわまりない」と吐き捨てたという。

図3　現在のオックスフォード大学自然史博物館
ネオゴシック様式の教会を模す

科学と宗教との中途半端な調和を目指したためか、いささかバランスを崩した外観をもつオックスフォード大学自然史博物館は、開館翌年に思わぬかたちで注目を集めることになった。一八六〇年六月末、オックスフォードで英国科学振興協会の年次総会が開催され、六月三〇日土曜日に開かれた集会の会場として件の自然史博物館が歴史に名を残すことになったのだ。

英国科学振興協会についてはすでに触れたとおりである(第3章参照)。科学の威光を示し、科学を社会に浸透させる目的で一八三一年に設立され、毎年一回、場所を変えて年次総会を開催していた。年次総会では、著名人の講演やさまざまな催しがほぼ一週間にわたって繰り広げられる。そしてそこに全国から、さまざまな人士が家族連れでやってくる。

一八六〇年の年次総会は、ダーウィンの『種の起源』が出版されて半年後ということもあり、開催前から一種異様な盛り上がりを見せていた。そして問題の土曜日、オックスフォード教区の主教サミュエル・ウィルバーフォース(一八〇五~七三)の反進化論演説と、それに対するダーウィン一派の対決を予想して、会場となった講義室には七〇〇人とも一〇〇〇人ともいわれる数の人びとがつめかけた。

自分も科学的探求は否定しないが、自然淘汰説を大前提としたダーウィンの進化理論を裏づける科学的な証拠は一つもない。得意の弁舌でそう切り捨てた主教は、降壇する前に、ダーウィン擁護派の急先鋒であるトマス・ヘンリー・ハクスリーに向けて痛烈な皮肉を放った。「祖先が類人猿に由来しているのは、あなたの祖母方の家系か、それとも祖父方の家系か」という問いを投げかけたのだ。それに対してハクスリーは、次のように答えたと、体調不良のためその場に居合わせなかったダーウィンへの手紙で説明している。

私に突きつけられた質問は、おまえは哀れな類人猿を祖父に持つほうがよいか、それとも、生まれながらに豊かな素質に恵まれ、多大な財産と影響力を有しつつも、たわごとをまじめな科学の議論に持ち込むだけの目的にそれらの能力と影響力を利用するような御仁であるほうがよいかだが、私はためらうことなく類人猿のほうがましだと答える。

A・デズモンド、J・ムーア共著、渡辺政隆訳
『ダーウィン』工作舎より

この論戦に関しては、どちらが勝者でどちらが敗者だったか決めがたい面がある。公式の議事録は存在せず、伝えられている話には、さまざまな脚色が付加されているうえに、証言はダーウィンに与する科学者側の優位を唱える側に偏っており、それも当人の活躍ばかりがともすれば強調され気味だからである。たとえば植物学者のジョゼフ・フッカーは、ハクスリーの声は小さくて聞き取りにくかったとダーウィンに一報すると同時に、そのあとに登壇した自身の活躍を誇らしげに報告している。

ともあれ、自然界の事物に宿る神の叡智を探求するために創建された自然史博物館の、

いわばこけら落としともいえる行事において、科学と宗教との華々しい対決が演じられたことは、きわめて象徴的な出来事だった。こうした逸話は、そのまま博物館の無形の財産となって蓄積されていく。

アリスの不思議な館

現在のオックスフォード大学自然史博物館には、そうした歴史を紹介する展示がいくつかある。その一つがこの、ハクスリーとオックスフォード主教との論戦である。大ホールの二階テラス、問題の論戦が交わされた部屋の前の展示スペースに、この歴史的対決を解説したパネルが展示されているのだ(図4)。もう一つの重要な無形遺産は、アシュモール博物館から引き継いだコレクションの一つ、ドードーにまつわる逸話である。

かつてインド洋上に浮かぶモーリシャス島に生息していた飛べない巨大な鳥ドードーは、オランダ人入植者が持ちこんだ家畜のせいで、一六八〇年前後に絶滅した。現在、ドードーの剝製はどこの博物館にも存在しない。前述したコレクションリストにあるようにトラデスカントの方舟コレクションには剝製が含まれていたらしいのだが、現在はミイラ化した頭部と足、それと骨の一部しか残っていない。その理由は、一八世紀に剝製が蛾の幼虫に食べられてぼろぼろになってしまったときに、大学副総長の指示で火中に投じられてしまったせいである。

大学博物館に現存する標本は、あわてて火中から回収されたその残骸なのだ。しかし貴重な標本であることにまちがいはない。現在は復元模型といっしょに展示されている(図5)。ちなみに日本の山階鳥類研究所にも、元侯爵で鳥類学者だった蜂須賀《はちすか》正氏《まさうじ》が研究したドードーの骨の標本が収蔵されている。

ドードーといえば、『不思議の国のアリス』を忘れてはいけない。とうの昔に絶滅したドードーの存在を世に知らしめているのは、博物館や鳥類図鑑ではなく、まさにこの

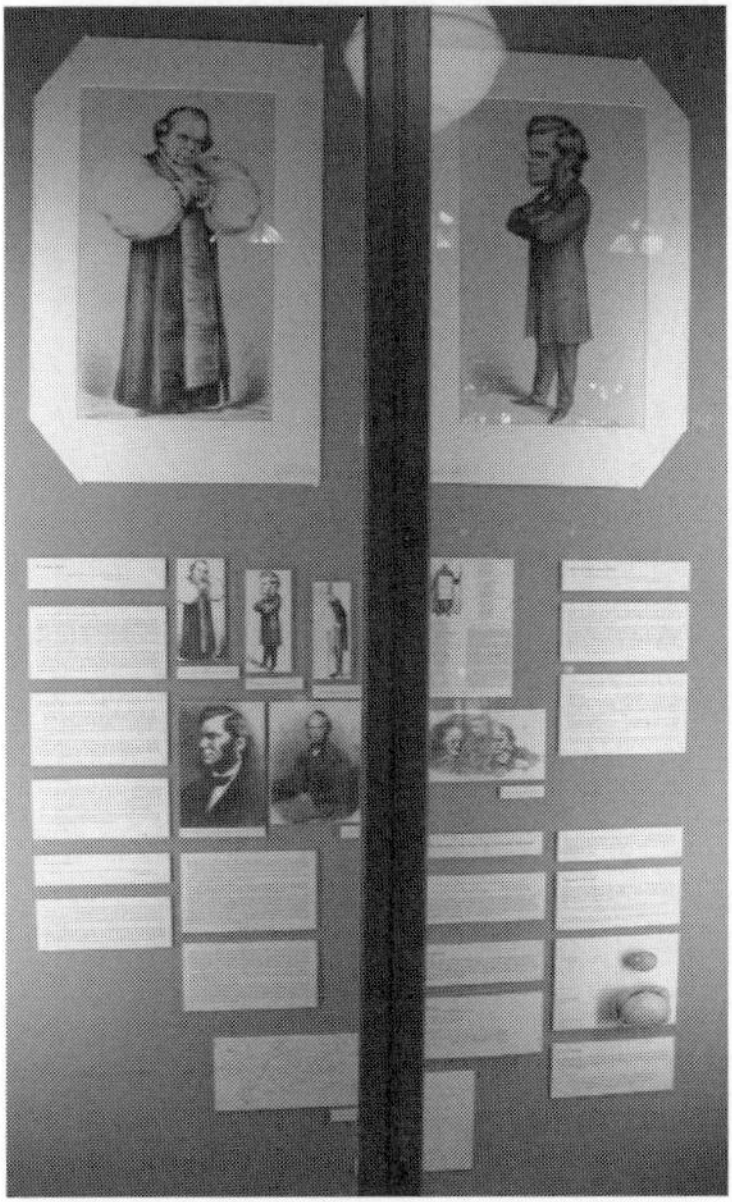

図4　オックスフォード大学自然史博物館パネル展示　ハクスリーとオックスフォード主教との論戦が交わされた部屋の前の展示スペースに展示してある

図5　ドードーのミイラ化した頭部と足，骨の一部　スリムになった最新の復元模型(右)といっしょに展示されている

作品だろう。アリスとオックスフォードとの因縁も深い。アリスの作者ルイス・キャロルことチャールズ・ドジソン（一八三二〜九八）は、オックスフォード大学の数学講師だったのだ。

　アシュモール博物館およびそのコレクションを引き継いだ自然史博物館は、前述したドードーの残骸のみならず、ドードーを描いた絵も収蔵していた。吃音《きつおん》だったドジソンは、自分の名を口にするときに「ドードー、ドジソン」と発音しがちだったこともあって、ドードーにことのほか親近感を抱いていたともいわれる。それはともかく、博物館収蔵の絵画ないし標本から不朽の名作のキャラクターが生まれ、少なくとも名前だけは今も生き長らえているというのはおもしろい話だ。ここのミュージアムショップでは、ドードーの各種キャラクターグッズも販売されている。

もう一つ、オックスフォード大学自然史博物館の名物といえる鳥がアマツバメである。建物の上に不釣り合いに乗っているとんがり帽子のような塔は中ががらんどうで、屋根に空けられた四〇個の換気口とつながっている。その換気口の中で、いつの頃からか、春になると飛来するヨーロッパアマツバメが営巣するようになった。

このアマツバメを有名にしたのは、一九四五年に大学の鳥類研究所長に就任した進化生態学者デイヴィッド・ラック（一九一〇〜七三）だった。ラックは、一九四八年から換気口の導管に巣箱を設置し、それを塔の内側に設置した台から観察する方法で、アマツバメの生態研究に着手した。番の行動から産卵、抱卵、ヒナへの給餌まで、その生態を詳細に観察した研究は鳥類生態学の金字塔とされている。ラックが詳細な研究を打ち切った以後も観察は続けられており、営巣数と巣立ちしたヒナの数などが毎年記録されている。

博物館といえば、死んだ標本の保存研究が主と思われがちだが、博物館の建物自体が生きた生物の研究舞台ともなりうるのだ。

研究から学びの館へ

数々の歴史に彩られた自然史博物館だが、そこは過去の残像を覗き見るだけの場所ではない。オックスフォード大学自然史博物館は、さまざまな年齢層、バックグラウンドの人たちを対象にした教育プログラムにも力を入れている。英語圏では一般に、そうした学校教育以外の学習を、まとめてインフォーマルラーニングと呼んでいる。これは、日本でいう学外教育や生涯学習よりももっと範囲の広いもので、定訳はまだない。

インフォーマルラーニングの主な舞台となっているのが博物館である。博物館側も、専任のスタッフやプログラムを用意している。試みに、オックスフォード大学自然史博物館のホームページを覗いてみるといい。そこの「Learn」と題されたページをクリックすると、さまざまなプログラムやサービスが年代別に提供されていることがわかる。しかも、それを担当する部署「パブリック・エンゲージメント・チーム」が顔写真入りで紹介されている。パブリック・エンゲージメントとはサイエンスコミュニケーションのイギリス流の呼称で、「市民と科学との関わり合いを取り持つ」という意味合いである。

大学の自然史博物館というと古色蒼然としたイメージを思い浮かべがちだが、大学博物館も確実に変貌を遂げている。日本の大学も大学博物館、とくに自然史系の博物館を整備しつつあるが、いかんせん専任のスタッフを雇用する予算に乏しい。また、そのような活動への理解も、大学内のみならず社会全体としてまだまだ薄いというのが現状である。

ミュージアムは美術品や標本を鑑賞するだけの場所ではない。その語源の意味に立ち戻り、誰もが学術研究に触れ、自らのセンス・オブ・ワンダーに磨きをかけられる場所であってほしい。

6 科学で遊ぶ

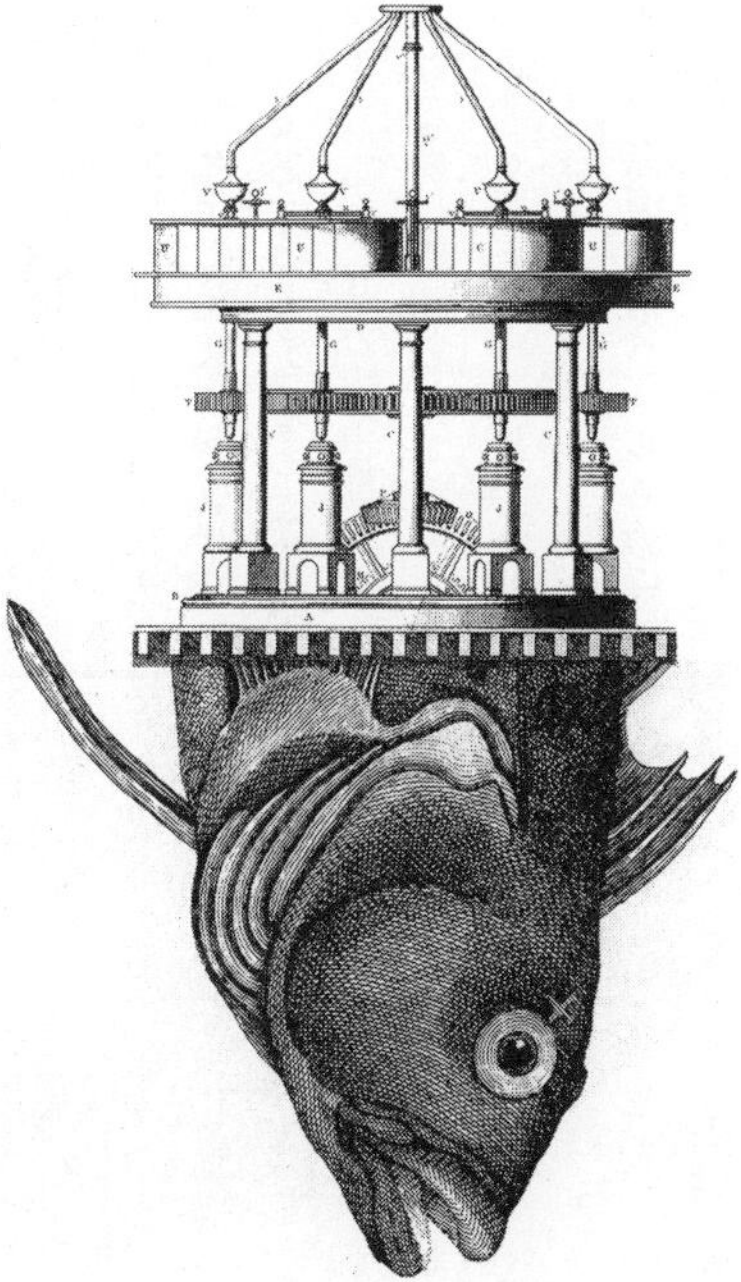

聖女へのオマージュ

科学の論文というと、とかく無味乾燥なものと思われがちである。しかしなかには、洒脱なエッセイのような科学論文もある。

かつて生態学徒だったぼくのいちばんのお気に入りは、偉大な生態学者ジョージ・エヴリン・ハチンソンの一九五九年の論文「聖ロザリアへのオマージュないし動物の種類はなぜこれほど多いのか」である。もともとこの論文は、一九五八年の年末(しかもよりによって一二月三〇日!)にアメリカの首都ワシントンで開かれた、米国ナチュラリスト学会の年次大会における会長講演として読み上げられたものである。それにしても、なんと意表を突くタイトルなのだろう。後半はともかく、前半の「聖ロザリア」とはそもそも何者なのか。

聖ロザリアとは、シチリア島の都市パレルモの守護聖人であるという。一六二四年、パレルモの街をペストが襲った。そのとき、街を見下ろすペッレグリーノ山(標高六〇六メートル)の洞窟から偶然見つかった遺骨を掲げて街を練り歩いたところ、猛威を振るっていたペストが瞬く間に収束したという。その洞窟は、神に一身を捧げて三六歳でこの世を去った、一二世紀の王族の娘ロザリアが隠棲した場所とされていた。そこで、洞窟から見つかった遺骨はロザリアのものと判定され、以来、聖人に祭り上げられたロザリアがパレルモの守護聖人となったのである。

そこでようやく本題。なぜこのタイトルなのか。ハチンソンは、学会が開かれた一九五八年の夏、シチリア島に赴き、水生昆虫の調査を行なった。パレルモはコンカ・ドーロと呼ばれる肥沃な盆地に位置しており、すっかり開墾が進んでいたせいで、自然が残された調査場所はなかなか見つからない。観光をかねてペッレグリーノ山に登り、聖ロザリア聖堂付近を訪ね歩いたところ、その近くの人造池で、論文タイトルの後半部分をなす、進化をめぐる大いなる疑問に関するヒントを得た。そこで、聖ロザリアに進化研究の守護聖人にもなってもらおうというのが、論文タイトルの謂《い》われなのだ。

ハチンソンが聖ロザリア聖堂付近の人造池で見つけたのは、二種のミズムシだった。ここでいうミズムシは、カメムシの仲間(半翅目)の水生昆虫である。なぜこの池にはたった二種のミズムシしか生息していないのか。いや、元へ。この池ではなぜ、二種のミズムシが同居できているのか。ハチンソンは当の論文の中で次のように語っている(筆者訳)。

その水域にはたくさんの数のミズムシ科の虫が生息していた。当初私は、落胆した。二種のうちの大型種のほうは、どの個体もみな雌で、種を特定する特徴に欠けている一方で、やや小型な種の方は、雌雄ほぼ同数が生息していたからだ。採集した標本を時間をかけて調べ、文献にもあたった結果、この二種はヨーロッパに生息する普通種のC・プンクタータ(*C. punctata*)とC・アフィニス(*C. affinis*)で、地中海地方特有の種と思えたのは錯覚であることが判明した。大型種のプンクタータは明らかに繁殖期の終わりで、小型種のアフィニスのほうはおそらく繁殖期がはじまったばかりだった。ここまでは、どんなナチュラリストでもあろうといつでもできる類の観察である。ここで紹介するにふさわしいアイデアが浮かんできたのは、なぜ大型種のほうが先に繁殖しなければならないのかと疑問に思い、次いで、この池に生息するミズムシ属はなぜ二種であって、二〇種とか二〇〇種であってはならないのかという、より一般的な疑問を抱いたときのことだった。このアイデアは最終的に、なぜこれほど莫大な数の動物種がいるのかというきわめて一般的な疑問につながった。

この二種が同居できていた理由は、大きさが異なる上に、繁殖時期もずれていたからである。すなわち、一つの池という生態系の中で、その二種は占めるべき場所(これを生態的地位という)を違えることで、同居を可能としていたのだ。そのような着眼点から生態系と進化に関する考察と仮説を述べたこの論文は、その後数十年にわたり、進化生態学の研究動向に影響をおよぼすことになった。ハチンソンの進化理論の精髄は、一九六五年に出版した『生態劇場と進化劇』という書名に凝縮している。この書名は、生物の進化が起きるのは、あくまでも生態系という舞台においてであるという謂《いい》であり、この言葉はぼくの座右の銘でもある。

聖堂の遊びスペース

もう一つ、洒脱なエッセイ風の科学論文として触れないわけにいかないのが、本書でたびたび登場するスティーヴン・ジェイ・グールドと、同じハーヴァード大学比較動物学博物館の盟友リチャード・ルーウォンティンが一九七九年に共著で発表した「聖マルコ大聖堂のスパンドレルとパングロス流パラダイム——適応主義者プログラム批判」である。進化生物学の論文なのに、ヴェネチアにあるローマカトリックの大聖堂と、ヴォルテール(啓蒙主義を代表するフランスの作家)が創造した稀代の楽天家パングロスの名がタイトルを飾っていることでも、この論文を彩るレトリックの巧みさがうかがわれるはずだ。

ただしこの論文に関しては、ハチンソンの聖ロザリアほどの信仰は集めていない。大聖堂の天井を飾る伝道者の像が描かれている「スパンドレル」(図1)というスペー

図1　聖マルコ大聖堂のスパンドレル　アーチ型の構造のためにできた三角形の部分で，装飾が施されている

スは、飾りを描くために設えられたわけではない。あくまでも、天井のドームを支えるために設置された構造物の空きスペースが、壁画用に転用されているにすぎない。しかし、いったん使徒の像が描かれてしまうと、その構造物はあたかも壁画用に設置されたかに思えてくる。生物の適応をめぐる解釈もこれと同じで、何でも適応で説明しようとするのは、スパンドレルの過誤にはまるのと同じで楽天的すぎるというのが、この論文タイトルの寓意なのである。

この説明だけを聞くと、いかにも教訓的な説話に思えるが、じつのところこれは、世紀の社会生物学論争を否応なく駆り立てた問題論文なのである。グールドとルーウォンテインに言わせると、生物の形態や行動をすべて自然淘汰による適応として説明するのは適応万能主義者のやり過ぎであり、そんなことを大まじめに主張するのは、パングロス並みのまぬけな楽天主義者ということになる。しかし、そんなゴチゴチの適応万能主義者など、グールドとルーウォンティン(レトリックを構築し論文を執筆したのはグールド)が仕立てた藁人形にすぎないという反論が、当然のごとく予想される。

まあそんな感じで、細かくは説明しないが、思想信条上の対立も背景とした論争に油を注いだのが、この論文だった。ともあれ、好き嫌いはともかく、こんな論文を一生に一度でいいから書いてみたいと夢見ている研究者は少なくない。

ミッキーマウスへのオマージュ

稀代の科学エッセイの名手でもあるグールドは、「ハーシー社製チョコバーの系統進化」とか「四割打者絶滅の謎」といった遊び心満点のエッセイも物している。そんななかでもとくに人気が高いのが、エッセイ集『パンダの親指』(櫻町翠軒訳、早川書房)に収録されている、ミッキーマウスの「幼形進化」を論じたエッセイ「ミッキーマウスへの生物学的オマージュ」だろう。

結論からいうと、一九二八年にはじめて登場したミッキーマウスは、見かけも品行も、現在のような世界的なアイドルとは似ても似つかないキャラクターだった。とんでもないやんちゃ坊主の小憎らしいハツカネズミそのものだったのだ。しかしその後、人気が出るにしたがい、ミッキーはどんどん幼顔になり、しかも品行方正になっていった。同じくガールフレンドのミニーも幼児化の道をたどる一方で、憎まれ役のモーティマーは、

図2　ミッキーマウスの50年間の幼形進化　『パンダの親指』より．ミッキーは左から右へと次第に子どもっぽく愛らしくなった．©Walt Disney Productions

同じネズミなのに、まるで犬かと思わせるほど大きくて大人びた姿に描かれている(そのせいか知名度も低い)。

グールドは、ご丁寧なことに愛用のノギスを取り出し、歴代ミッキーマウスの身体計測を行なったという。そして、ミッキーは三段階を経て幼児化したことを確認した(**図2**)。

この話の落ちは、人間の赤ん坊の場合も含めてたいていの動物は、幼いときには丸顔で出っ張りが少なく、相対的に頭と眼が大きくて手足が短い、そんな赤ん坊を見るとわれわれは可愛いと思い、思わず抱きしめたくなる、というものだ。たとえばレトリーバーの子犬と成犬を思い浮かべてもらえばいいだろう。子犬時代はあんなに丸っこくて可愛らしかったのに、成長するにつれて鼻面がどんどん長くなり、胴体も四肢も耳も尻尾も長くなっていく。

これは本能的な育児行動を引き出すための適応的な反応であると、一九七三年にノーベル賞を受賞した動物行動学者コンラート・ローレンツ(一九〇三〜八九)は主張した。それが正しいとしたら、幼児化したミッキーマウスに対して愛らしさを感じるわれわれの反応は、本能をくすぐられている結果だということになる。ディズニープロダクションがミッキーの幼児化を意図的に進めたかどうかは不明だが、キャラクターデザイナーたちの判断は、結果的に間違ってはいなかったことになる。

ぼく自身の子ども時代のアイドルは、ミッキーマウスではなくアトムだった。そういえばアトムも幼児体形のキャラクターである。

そこでさっそく、ローレンツ理論をアトムで検証すべく、『鉄腕アトム』の初期の巻をひも解いてみた。するとどうだろう、天馬博士が交通事故死した小学生の息子トビオに似せてつくったアトムは、当然ながら、幼児体形ではなく、幼いながらも小学生の体形である(図3)。その後アトムは、テレビアニメ化されCMキャラクター化されるに伴って幼児化したのだ。

ぼくが長年抱いてきた疑問は、もう一つの世界のアイドル、スヌーピーがどうしてもビーグル犬に見えないことだった。しかし、ローレンツ理論に照らしてみると、その疑問も氷解する。

図3　1951年のアトム(左)と1967年のアトム(右)
© 手塚プロダクション

スヌーピーは永遠の子犬なのだ。同じく幼児体形のチャーリー・ブラウンよりも、行動が大人びているにしても。そこでさっそくインターネットの森に分け入ってみたところ、初期のスヌーピーの発見に成功した。なんとスヌーピーも、登場した当初はビーグルの成犬体形をしていたではないか。

科学の味付け

そういうわけで、どうやらアイドルキャラの幼児体形化には科学的な裏づけがありそうだ。この発見をおもしろいと思うか、無粋だと思うかは人それぞれだろう。かつて、ニュートンによる光のスペクトル分解、すなわち虹の七色の科学的説明を無粋な唯物論と非難した詩人もいたらしいので、なんとも言えないところである。しかし、少なくともぼくは、科学の味つけにより、人生はおもしろくなると考えている。

じつは、幼児化はなにもアイドルキャラという人造物だけのことではない。なにを隠そうわれわれ人間も、幼児化によって誕生したと考えられている。人間にいちばん近い現生種はチンパンジーである。チンパンジーとヒトは、今からおよそ七〇〇万年前に共通の祖先から袂を分かった。とんでもなく昔の話のような気がするが、地史的にはほんの一昔前のことだ。ただし、現生人類、すなわちホモ・サピエンスがアフリカの一角で誕生したのは、今からおよそ二〇万年くらい前のこととされている(現生チンパンジーの誕生時期は不明)。ヒトは第三のチンパンジー(現生チンパンジー類には、いわゆるチンパンジーとボノボの二種がいる)だとか、チンパンジーはほとんどヒトだという意見があるから、いずれにしてもごくごく近縁な存在なのだ。

それでも、少なくとも見かけがこんなにもちがうではないかという声が聞こえてきそうだ。だが、チンパンジーの子どもを見れば、そんな疑念も少しは薄らぐのではないだろうか。

たしかにチンパンジーの大人は、顎が突き出し、眉毛の部分(眉稜)が突き出す一方で額が後退しているし、手足も相対的に長い。ところがチンパンジーの子どもは、顔面が扁平で手足も短く、体型的には人間の子どもにきわめて近い。胎児で比較すれば、両者の類似度はもっと大きい。

チンパンジーは出生後も成長が急速に進むが、ヒトは、脳を除けばきわめて緩慢にしか成長しない。そのせいで、霊長類の一員であるにもかかわらず、大人になっても例外的に子どもの特徴を保持し続ける。しかも成長期間が大幅に延長されており、そのおかげかどうか、寿命も延びた。その効果は、脳の大型化と、学習可能期間の増大としてもたらされた。イヌやネコ、それにサルも、子ども時代はよく遊ぶが、大人になるとあまり遊ばない。ところがヒトは、死ぬまで遊び心を持続する。ヒトは、心身ともに、永遠の子どもなのだ。

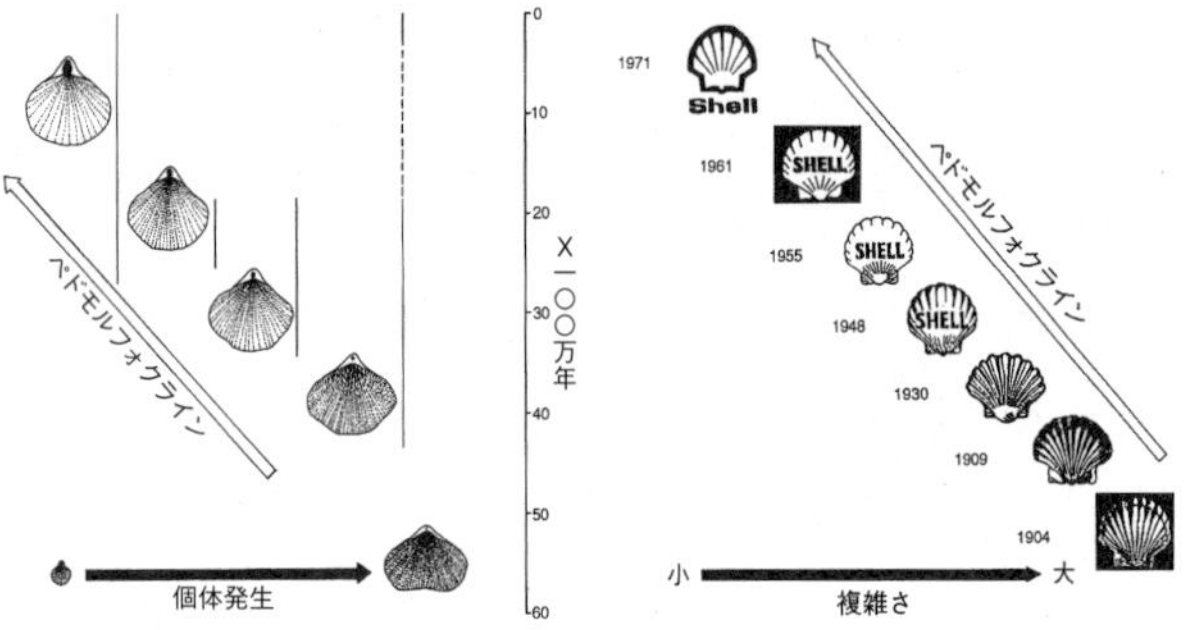

図 4　腕足動物の幼形進化(左)とシェル石油のロゴマークの幼形進化(右)　ペドモルフォクラインは幼形進化の勾配を表す．『動物の発育と進化』(K. J. マクナマラ著，田隅本生訳，工作舎)より

このように、進化の過程で幼児化が進むことを幼形進化、あるいは場合によってはネオテニー(成長速度に比して成熟速度が早まっている場合)と呼ぶ。幼児化(幼形進化)は、発育速度の遅滞ないし生殖可能年齢の促進という、わりと小規模な変更だけで新たなライフスタイルや柔軟性、ひいては新しい生態的地位を獲得できるお手軽な進化様式である。事実、古今のさまざまな動物で幼形進化が確認できる(もちろんヒトがその最たる例)。

たとえば、今から六〇〇〇万年ほど前に起源した腕足動物(二枚の殻をもつが軟体動物である二枚貝とは別のグループ)のある種の系統は、時代とともに幼形化した。見た目上、幼形型は殻が丸みを帯び、殻の模様(条線とひだ)もまばらになっている(**図 4 左**)。しかし、外観の背後では、生息場所の選択にかかわるもっと重大な変化も進行していた。幼形型は、より浅い海の海底に生息できる条件を発達させていったのだ。つまり、この腕足動物における幼形進化は、確実に新たな生態的地位への進出を可能にした。

だが、それだけならこの稿で紹介したりはしない。じつはこの腕足動物とよく似た平行進化の例が人造物で見られるのだ。それは、シェル石油のロゴマークの変遷である(図4右)。むろん、シェル石油のロゴは、おそらくホタテ貝(軟体動物)を模したものなので、腕足動物の幼形進化をモデルにしたわけではない。しかし、最初は写実的だったロゴマークが、親しみやすさ(可愛らしさ?)を求めて単純化、幼形化されてきた過程は、まさにミッキーマウスやアトムと同列に論じられてしかるべき例だろう。そしてこれについても、ある程度までローレンツ理論で説明がつけられそうである。

ありえないけどありそうな話

科学を知ればもっと楽しい。そんな遊び心をくすぐる格好の例が、知る人ぞ知る鼻行類である。

南太平洋にかつて存在したハイアイアイ群島は、ガラパゴス諸島にも匹敵する進化の玉手箱だった。何かの拍子で孤島に漂着した哺乳類の一種から、奇をてらったとしか思えない一群の奇妙な動物が進化した。この動物は鼻が異様に発達し、歩行器官や捕食器

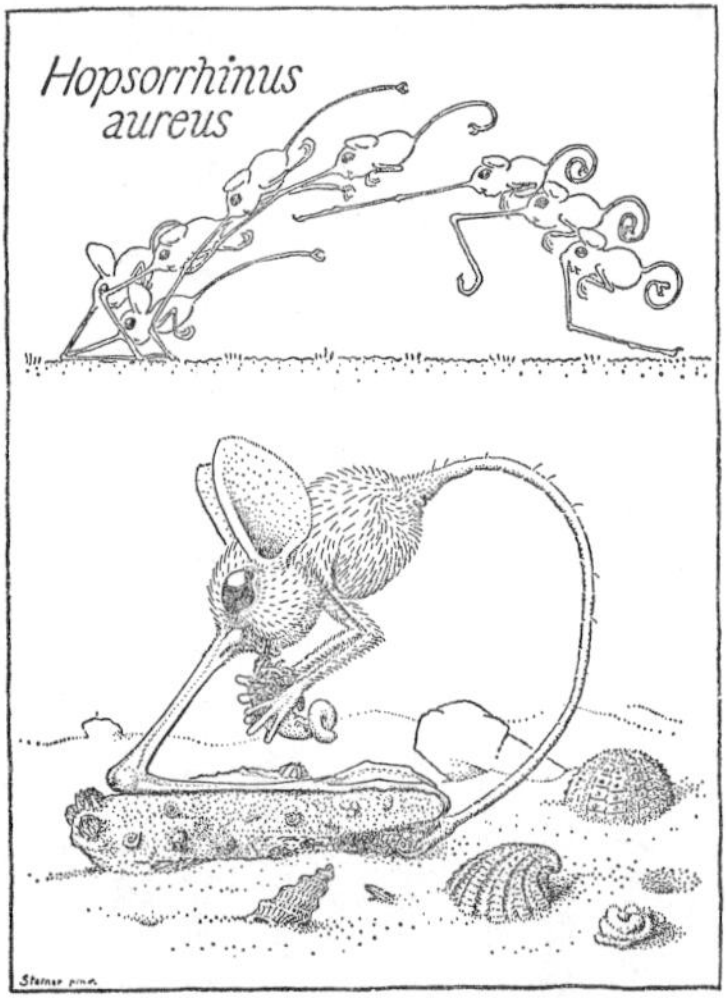

図5　鼻行類　トビハナアルキ．『鼻行類』より

官に変化しているのだ(図5)。

　ところが核実験の不手際から群島全体が海底に没してしまったため、一冊の研究書を除き、鼻行類の標本はおろか関連資料すら残されてはいない。鼻行類研究のメッカ、いや唯一の舞台だったハイアイアイ・ダーウィン研究所とともに、そこの研究者もろともすべて消滅してしまったからである。

　——という設定で書かれた奇書『鼻行類』(H・シュテュンプケ著、日高敏隆・羽田節子訳、平凡社)は、じつはドイツのハイデルベルク大学動物学科の教授が創作した架空動物記である。種明かしをしてしまうと身も蓋もないのだが、そこで描かれている奇妙な動物の数々を楽しむには、進化学の知識があるにこしたことはない。それどころかぼく自身、大学の進化学の講義でこの書を参考書代わりに紹介したことがある。「鼻行類の進化」は、科学的な知識にしっかりと裏づけられた虚構なのだ。そこで踏まえられている進化の原理は、まさにハチンソンのいう「生態劇場と進化劇」、すなわち、生態系の中で空いている生態的地位を埋めるように進化は起こるという原理である。昆虫も軟体動物も爬虫類も鳥類も乏しいハイアイアイ群島では、哺乳類である鼻行類が陸上生態系の主だった生態的地位のすべてに適応する進化を遂げたというのが、その物語の大前提なのだ。

鼻行類は奇想天外な架空の動物だが、自然は人間の想像力を凌ぐことを軽々とやってのける。今から五億一〇〇〇万年前のカンブリア紀の浅海には、現生する動物とは似ても似つかない生きものがうごめいていた。それらの生きものについては、ほんの十数年前までは、専門の古生物学者のあいだでしか知られていなかった。しかし、かのグールドがその著書『ワンダフル・ライフ』で紹介したことで、それらの動物、いわゆるバージェス動物群が、一躍人びとの注目を浴びることとなった。

ポケモンが「進化」したっていいじゃない

バージェス動物群が日本に紹介されて一〇年あまりのち、それらはまた新たな進化を遂げた。なんと、絶滅していたはずのバージェス動物群の子孫が、南太平洋の海底洞窟で生きて発見されたというのだ。しかも、人間型に成長する雌だけペット化に成功し、カンブリアンＱＴＳ（キューーティーズ）と名づけられて販売が開始されたと称するサイトが登場したのだ。

どこやら鼻行類を彷彿とさせる話だが、こちらについては、生物学的な裏づけはいっさいない。単に、それらしい設定に「萌え系」のキャラをかぶせただけである。だが、このサイトをたまたま見つけたとき、ぼくはうれしくなってしまった。かつて、恐竜以外で、古生物学がポップカルチャーに受け入れられたことがあっただろうか。ポップカルチャーにも思い入れの深かったグールドが、草葉の陰で喜んでいるか泣いているかは知らないが、これはこれで、文化への科学の浸透が進んだ証拠と見たい。しかも、よりによってアキバ系萌え文化への浸透である。

進化に関しては、昔からさまざまな図式が語られてきた。もちろんたくさんの誤解も蔓延している。その最たるものが、進化＝進歩・発展・成長という誤解だろう。新商品のキャッチコピーで「進化」の二文字が踊っていたり、「イチローの進化」など、個人の技量の成長を「進化」と形容する例は枚挙にいとまがない。生物学でいう進化とは、必ずしも進歩を意味する概念ではなく、ましてや個体の成長度を説明する言葉でもない。幼形化によって人類が進化したからといって、現代の若者の幼稚化を進化とは呼ばない。生物集団が遺伝的な変化をし、分岐して多様化する現象が進化である。なればこそ、「なぜかくも多種多様な種が存在するのか」という問いかけが進化学の根幹をなすことになる。

ダーウィンは自然淘汰説に思い至る前から、進化とは分岐による多様化であり、生物には下等も高等もないと見抜いていた。さすがの慧眼である。

だが、「進化」という言葉の使い方が間違っているからといって、いちいち目くじらをたてるほどのこともない。言葉というミームの蔓延を規制することなど、どだい無理な話なのだ。今、子どもたちのあいだで「進化」といえば、何をおいてもポケモンだろう。むろん、ポケモンことポケットモンスターの「進化」は、系統発生としての進化ではなく、むしろ個体発生としての変態ないし変身でありパワーアップである。ピチューがピカチュウになり、さらにライチュウに「しんか」するというように。

子どもたちがポケモンを通じて生物進化の意味を誤解するという弊害は免れない。だが、ポケモンの世界はそれなりにうまく構築されている。「生態劇場と進化劇」よろしく、ポケモンの生態や能力は、ポケモンワールドにおける生態的地位の空隙をうまく埋めるようにデザインされているからだ。個々のキャラクターは、それぞれ実在する動物をモデルとすることで、子どもたちはほどほどの現実感をもって受け入れている。いずれ、そこに正確な知識をインプットしてやれば、生物のめくるめくような多様性を生んだ進化という現象への興味は、増しこそすれ減じることはないと思う。

ところが、科学者、研究者たちは、ともすると自らの専門分野の番人たろうとして砦を築き、専門用語の一人歩きに不寛容な態度をとりがちである。そこで気になるのが、科学は誰のものかということだ。いったい誰から砦を守ろうとしているのだろう。専門家は、門外漢に対して勉強が足りない、知識が不足していると文句を言う。一方、専門外の人間からしてみれば、あなたの言っていることはよくわからないということになる。そうした齟齬、ギャップは、科学が蛸壺化するにつれて、ますます拡大しつつある。科学者どうしのあいだでも、少しでも専門領域が異なると、言葉が通じなかったりする。かつては文科と理科という二分法が成り立ったが、今や、文科も理科も多様化、細分化を遂げ、たくさんの文科とたくさんの理科が存在している。

そうした状況にあって、科学が「米の飯」のようなものになるためには、専門家のあいだでも、非専門家とのあいだでも、非専門家どうしでも、科学で遊ぶことがもっと盛んになってほしい。そのためには、誰もがある程度の科学リテラシーを備えねばならないだろうし、そのためにはサイエンスコミュニケーションが促進され、浸透する必要があるわけだが、それについては稿を改めて論じたい。

とりあえずは、ポケモンが「進化」したっていいじゃないか。

7 サイエンスコミュニケーションの潮流

天衣無縫の文化

あのクローン羊ドリーの剝製が展示されているスコットランド国立博物館(第4章参照)は、偉大な先人のかつての住居でもあった。その偉人とは、かのチャールズ・ダーウィンである。ダーウィンは、エディンバラ大学医学部で学んでいた当時、現在は同博物館の敷地内に飲みこまれているロージアン街一一番地の下宿屋で暮らしていたのだ。博物館講堂の外壁には、記念のプレートが掲げられている(図1)。

ただし、ダーウィンがこのスコットランドの首都で暮らしたのは、わずか二年にすぎない。イングランド西部に位置するシュロップシャーのシュルーズベリという町で生まれ、地元のパブリックスクールに通っていたチャールズ・ダーウィンがエディンバラにやってきたのは、一八二五年、一六歳のときのことだった。祖父も父も医師であり、五歳上の兄エラズマスも医師になるべくケンブリッジ大学で学んでいたこともあって、父親の意見に従い父と祖父の母校に進学したのである。しかし、麻酔もなしに行なわれる外科手術に対する嫌悪感、忌避感はいかんともしがたく、医学は二年で断念し、ケンブリッジ大学に転学することにした。

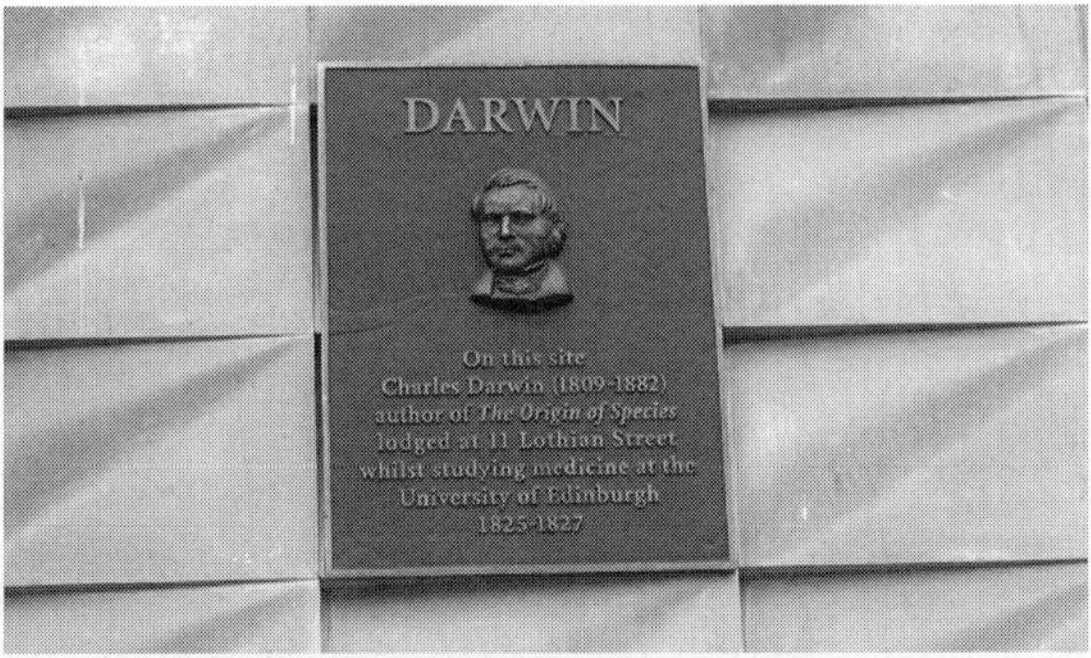

図1　博物館の外壁に設置されたダーウィンのプレート

わずか二年であるにしても、若きダーウィンが学び、自然史学に開眼した街であることを、エディンバラ市民ならば誇ってしかるべきである。そこで二〇〇四年、スコットランド・ロイヤル・ソサエティ主催の集いに出席したぼくは、ダーウィンの住居跡を探し当てた興奮を共有すべく、その場にいたロイヤル・ソサエティ会員を相手に、その史跡詣での件を話題にしてみた。ところがその紳士は、ダーウィンがエディンバラで学んでいたことすら知らなかった。しかもいっこうに恥じ入る風でもなく、スコットランドには有名な科学者がほかにもたくさんいるからねと宣うではないか。これは単に彼が生物学に無関心だったせいなのか、あるいは「ダーウィンに消された男」アルフレッド・ラッセル・ウォレスにつながる、イングランドに抵抗したスコットランドの英雄ウィリアム・ウォレスの恨みがいまだに尾を引いているせいなのか。

図2　脳科学者スーザン・グリーンフィールドの講演会風景　右端がグリーンフィールド．彼女はオックスフォード大学教授でロイヤル・インスティチューション(王立研究所)所長でもあった

エディンバラを訪れたのはイースター休暇のまっ最中。この時期、エディンバラでは毎年二週間にわたり、国際サイエンスフェスティバルが開催されている。街のあちらこちらで家族向けの催しが開かれているほか、市内何カ所かのホールで著名人の講演会やサイエンスショー、討論会などが開かれる(**図2**)。

フェスティバル関連行事の一つとして、科学技術の分野で人類の理解と幸福に貢献した人を対象とするエディンバラ・メダルの贈呈も行なわれる。受賞者には、デイヴィッド・アッテンボロー、ジェーン・グドール、S・J・グールド、リン・マーギュリスといった科学畑の人のほか、ワンガリ・マアタイ、アマルティア・センといった科学以外のノーベル賞受賞者もいる。ぼくが授賞式に参加した二〇〇四年は、科学と社会をつなぐ活動に力を入れてきた神経生物学者のスティーヴン・ローズが、科学を市民に語り伝えたという功績で受賞した。

ローズは、動物の行動を適応論的に説明しようとする社会生物学に、強硬に反対する左翼の論客としても知られている。ローズは、受賞記念スピーチではそうした話題に触れることはなかったが、とても重要な指摘をしていた。世の中には文科と理科、あるいは人文学と科学という二つの文化があるといわれてきたが、今や科学の中にもたくさんの科学がある。異なる科学のあいだでは言葉も通じない。したがって、もはやそうした二分法に意味はなく、目指すべきは境目、縫い目のない文化、シームレス・カルチャーだと述べたのだ。

伝説によれば、天女の羽衣には縫い目がなく、そこから天衣無縫《てんいむほう》という言葉が生まれたと聞く。科学が文化の中に自然に溶けこみ浸透するとしたら、これぞまさに原義でいう天衣無縫の実現だろう。ではこれを実際に実現するにはどうすればよいのか。こうした実現を目指す理念として登場したのが、サイエンスコミュニケーションである。

ユニバーサルランゲッジとしての科学

科学について語る場合、従来の流儀では、いわゆる科学技術の「専門家」が情報を与え、「素人」がそれを拝聴するという構図になる。そうなると、必然、科学技術の知識を「教えてあげる」という、一方通行的な意識に立ったものとなりがちである。もちろん、そのような「教育的」な知識伝達が有効な場合もあるにはある。しかし、それはあくまでも、情報を受ける側に聞く意志がある場合だろう。理科離れ、科学離れで問題なのは、サイエンスに対する関心度の低下ないし欠如であり、非専門家が聞く耳をもたなくなっていることだとしたら、そもそもこれではコミュニケーションが成り立たない。

ここで言う非専門家には、ローズも言うように、分野ちがいの科学技術の研究者も含まれている。専門の細分化にともない、科学技術者が異分野の人とコミュニケーションしたいという意欲が薄れていることも、科学離れの一種と言えるかもしれない。そうなると、科学技術をめぐる一方通行のコミュニケーションは、語る側も聞く側もその数を減らしていることになる。

研究者のアウトリーチが奨励されているが、その場合も、何かを教えてあげようという意識が前面に出てしまうと、おそらくコミュニケーションはうまくいかないだろう。そこで必要とされるスキルが、第1章で紹介したエレベーター・トークであり、タクシー・トークである。まずは、相手の好奇心をくすぐることから始め、こちらの話に耳を傾けてもらう必要がある。なにしろ、大卒者にしてもその七割はいわゆる文系であり、文系への進学の動機で重きをなすのは数学、物理に対する苦手意識であったりする（大学進学率は約五割）。そのせいか、一般に、科学は難しいもの、取っつきにくいものという認識が蔓延しているのだ。

サイエンスコミュニケーションの観点から見た場合のアウトリーチの最大の目的は、科学技術の研究者とはどんな人種かを、一般の人(日本人の大半を占める文系の人)につぶさに知ってもらうことにある。あるいは逆の言い方をするなら、一般の人が科学技術の研究者をどう見ているかを、研究者に自覚してもらうことにある。

科学技術者に対するステレオタイプな認識を示すおもしろいジョークがある。悲観論者と楽観論者と科学者がいたとする。この三人は、水道水が半分だけ入っているコップについて、それぞれ三者三様のコメントをするというのだ。すなわち、

- 悲観論者「水が半分しか残っていない」
- 楽観論者「まだ半分も残っている」
- 科学者「この水にはヒ素が五〇ピー・ピー・ビー(ppb)含まれている」

このジョークは、一般に科学者は固い、話がおもしろくないというイメージが世間に定着していることを如実に示している。むろん、実際にはそんな科学者、研究者ばかりではないはずである。ちなみにヒ素の含有量五〇ピー・ピー・ビーとは、水道水の許容範囲に相当する。

二〇〇四年に内閣府が全国の一八歳以上を対象に実施した「科学技術と社会に関する世論調査」では、「科学技術に関する知識はわかりやすく説明されれば大抵の人は理解

できる」と思いますか、という質問に対して、「そう思う」との回答が五二・五パーセント、「そうは思わない」との回答が三五・三パーセントだった。つまり半分以上の人は、わかりやすい説明を求めていたことになる。なればこそ、「世界一受けたい理科の授業」とかいうテレビ番組が成り立つのだろう。

そうした風潮を反映したのかどうかわからないが、二〇〇七年一一月に実施された同様の世論調査では、「科学技術に関する知識はわかりやすく説明されれば大抵の人は理解できる」と思いますか、という質問に対して「そう思う」と回答した人は六四・一パーセント、「そうは思わない」と回答した人は二五・六パーセントだった。

ただし、わかりやすければいいのかという問題もある。枝葉をそぎ落とし、おまけに心棒まで抜いてしまったような話は、面白くもおかしくもない。比喩をうまく使いながら、難しい話を難しいなりに話す技もほしいものだ。

朝永振一郎、J・シュウィンガー、R・ファインマンのノーベル物理学賞同時受賞に一役買ったことで知られる物理学者のフリーマン・ダイソンは、エッセイ集『ガイアの素顔』(幾島幸子訳、工作舎)の中で、若者が科学を嫌う理由として、権威主義的、実利主義的、核兵器などへの悪しき貢献の三つをあげている。そこでダイソンは、科学のこうした醜悪な面を隠すべきではない、むしろ科学は芸術の一形態である、科学には権威を打破する力がある、国家の枠を越えた国際性をもつという三つの美しい面をあわせて紹介し、科学を自由に探求することを教えるべきだと述べている。ダイソンがそのエッセイ集で強調しているいちばんの信条は、科学の世界とアートの世界は、いずれも国境や人種の壁をやすやすと越えるユニバーサルランゲッジという点で共通点が多いというものだ。これぞまさに天衣無縫の文化ではないか。

ローカルからグローバルへ

ユニバーサルランゲッジとは言っても、科学について語り合うことには、やはり、さまざまな関門がある。科学をネタにコミュニケーションすればいいじゃないかと言ってしまえばそれまでだが、誰が誰と、どこで、どのようにコミュニケーションし合えばいいのか。

それについて考える前に、まず、サイエンスコミュニケーションという理念が登場した背景について、おさらいをしておきたい。前述したように、単に科学の知識を伝えるという意味のコミュニケーションならば以前から行なわれてきた。しかしその大半は、研究や教育、啓蒙に携わる科学技術の専門家が一般の人向けに説明するという、一方通行のものだった。

だがこのやり方には明らかに限界がある。なぜなら、そもそも科学に関心のない人たちは、「専門家」によるそうした解説に耳を傾ける気もなければ、その必要性も感じない。これでは、声の届きようがない。

それとは逆に、いわゆる「素人」である一般の人たちが科学技術に対してどのような意見や要望をもとうとも、科学技術者や行政関係者にその声が届くことはほとんどなかった。「専門家」の側も、聞く耳をもっていなかったからである。

その結果どうなったか。「専門家」は、素人にはいくら説明してもわからないし理解しようともしないと思いこむ。一方、「素人」の側は、科学技術者は変人であり、話を聞いてもよくわからないというイメージを強化させてしまう。この悪循環が、科学技術者の浮世離れと、一般の人たちの科学技術に対する関心度低下を助長してきた。これが、先進国に共通する近年の社会状況だった。

科学技術に対する関心度の低下だけならばまだいい。困るのは、科学技術に対する不信感が芽生えることである。

科学技術は、われわれの生活に多大なる恩恵をもたらしてきた。しかしその一方で、公害問題、遺伝子組み換え食品をめぐる不安、クローン羊や臓器移植、生殖医療などの先端生命科学技術が提起する生命倫理上の問題、ＢＳＥ(狂牛病)や、鳥インフルエンザなどの新興感染症に対する対応の遅れなどが、科学技術への不信感を煽ってきた。科学技術は、はたしてわれわれの安心・安全を保証してくれるのかという疑念、あるいは無力感は、反科学や偽科学、怪しげな宗教の台頭を招きかねない。

そうした状況の中で、一九九〇年代にイギリスを中心としたヨーロッパでサイエンスコミュニケーションという理念が登場した。

科学技術者は何をしでかすかわかったものではない、行政はあてにならないといった不信感を払拭するには、「専門家」の側から一般の人との積極的な対話を心がけねばならない。その際には、相手に知識を与えてやろうという意識をもってはいけない。自分の専門分野について、自分はこういう意識で、こういう目的で、こんなふうに研究していると、「ふつうの言葉」で伝え、相手の言葉にも謙虚に耳を傾けねばならない。まずはお互いの風通しをよくすることから始めよう。そうしてこそ、科学技術が社会に溶けこみ、健全な発展がはかられていくはずだ。この双方向的なプロセスこそ、サイエンスコミュニケーションのあるべき姿だというのだ。

科学の井戸端会議

日本におけるサイエンスコミュニケーションをめぐるここ数年の動きの中でもっとも顕著なのが、サイエンスカフェの普及だろう。サイエンスカフェとは、カフェなどで飲み物を片手に、ゲストを囲んで科学について語り合うイベントのことを言う。今や全国各地で各種団体が、カフェや喫茶店に限らず、書店の一角などでも開催している。

サイエンスカフェは、一九九八年に、パリとイギリスのリーズでほぼ同時発生的に始まった活動である。それ以前から、パリでは哲学について語り合うカフェが開かれていた。そこでイギリスでも、フランス風にカフェ・シアンティフィークと呼ばれることもある。あるいは、英国科学振興協会(BA)が主催するサイエンスカフェは、サイ・バー(SciBAr)と称している。

リーズでサイエンスカフェを開始したダンカン・ダラスは、テレビ局の元プロデューサーである。隠退生活を送っていたが、科学が身近な話題にのぼることが少ないことから、自分が住むコミュニティ内にあるカフェで科学について語り合う会を主催することにした。基本的な形式は、スライド(パワーポイント)などはいっさい使わずに二〇分ほどゲストが話したあとで、休憩時間をはさみ、質問と討論の時間をもつ。休憩時間を取るのは、飲み物を追加するという意味もあるが、聴衆どうしがゲストの話について意見を交換し、質問すべきことを確認し合う時間をもつためである。

サイエンスカフェで重要なのは、ファシリテーターと呼ばれる進行役の存在である。いかに座を盛り上げるかは、ひとえにファシリテーターの双肩にかかっている。そして、そのイベントで大切なのは、みんなが何かを学んだり納得することではなく、自宅や職場で科学を話題にするきっかけを得ることである。一方、BAが主催するサイ・バーの主目的は、科学技術の研究者に市民の声を聞かせることだという。

イギリス国内でもサイエンスカフェはさまざまな発展を遂げている。過激なタイプとしては、ファシリテーターがゲスト科学者のトークにも介入し、「あなたの流儀は世間からずれている」ということを自覚させることを目的としたものもある(ゲストが怒り出すこともたまにはあるらしい)。そうした形式では、会場に来た参加者全員が討論に加わるためにも一五人程度の聴衆が理想的だとされている。

　では、そういう場に登場する研究者にとってのメリットはなんだろう。思うに、本人にとっての大きなメリットは、第三者に自分の科学を語ること自体が思わぬ発見につながりうることではないか。門外漢(他分野の科学者も含む)を相手に自分の研究を語り、異分野の人たちの新鮮な反応に出合う中で、セレンディピティの天使が突如舞い降りるかもしれない。これは社会にとってのメリットでもある。今やすっかり細分化されてしまった科学の風通しを今一度よくすることの恩恵は、計り知れないのだ。

　サイエンスカフェが目指すもう一つの方向としては、社会的に関心の高い科学の話題をめぐる議論を喚起するということがある。これもイギリスの例だが、ロンドンの科学博物館には、そのための専用施設であるデイナセンターが併設されている。ふだんはカフェとして営業しているのだが、週に何度かそこでサイエンスカフェが開かれ(図3)、その模様はウェブでも流される。聴衆にはイエス・ノーを答える投票ボタンが渡され、イベントの途中でいくつかの質問が投げかけられる(現在は科学館の図書館となっている)。

図3　デイナセンターのサイエンスカフェ　この日のテーマは「人種」だった

創始者のダンカン・ダラスに言わせれば「こんなのはサイエンスカフェじゃない」とのことだが、地元コミュニティで行なわれる本来のサイエンスカフェがミニコミだとしたら、マスコミ的なイベントを目指したのがデイナセンターのサイエンスカフェなのだろう。

日本で行なわれているサイエンスカフェの様式もさまざまである。書店などの公共スペースで行なわれるものには、スライドを使用した講演方式のものが多い。日本人の聴衆は、あまり質問をしないという国民性もある。それでも、さまざまな形式が試される中で、自分たちに合ったイベントが工夫されつつある。

そんな中で、ぼく自身が考えるサイエンスカフェの日本的な原点は「井戸端会

図 4　生命倫理の国際会議会場に設置した「生命倫理井戸端会議」スペース　手前の桶が載っているのが「井戸」

議」である。共用の井戸端で、米を研《と》ぎながら科学の噂話に興じる光景が出現したときこそ、「科学が米の飯」のようなものになったと言えるだろう。

じつは、生命倫理を研究していた同僚と図って、二〇〇五年一二月に東京で開かれた生命倫理の国際会議の展示ブースに井戸の模型をもちこみ、「生命倫理井戸端会議」スペースを実際にオープンしたことがある(図4)。井戸の模型と展示パネルは日本大学芸術学部の学生に製作してもらったもので、井戸の中に置いたモニターには金魚のCG画像を流してみた。会場での反応は今ひとつだったが、サイエンスコミュニケーションの国際会議で紹介した際には大受けだった。井戸の組み立てキットをつくり、世界に打って出るべきだったかもしれない。

科学の饗宴

冒頭でも紹介したが、イギリスではサイエンスフェスティバルなる催しが開かれている。日本でも科学の祭典といったイベントがあるが、それよりもずっと規模が大きい。代表的なのは、前述したエディンバラ国際サイエンスフェスティバルとチェルトナムサイエンスフェスティバルである。前者は一九八九年から実施されている老舗で、後者は二〇〇二年に開始された新興組である。都市の規模もイベント内容も異なるのだが、共通する特徴は、いずれの都市も観光事業として各種フェスティバルに力を入れていることである。

おそらく世界で最初にサイエンスフェスティバルを開始したエディンバラでは、それまでフェスティバルの空白期間だったイースター休暇の呼び物として、サイエンスフェスティバルを企画した。だが、観光事業としての目論見は期待を下回ってしまった。当時はまだ、科学を「見る」ためにわざわざ遠くから出かけるということなど、思いもよらなかったのだろう。それでも、長い目で見た場合の教育効果、イメージアップという面で科学は有効な手段だと、市の行政当局は判断した。

イギリスにおける科学啓蒙の伝統としては、一八二五年から続けられているロイヤル・インスティチューション(王立研究所)の金曜講話とクリスマスレクチャーが有名である。金曜講話は、男性はタキシード、女性はフォーマルドレスに身を包んだ演者が物々しく登場して行なう講演会であり、ダイソンの言う権威主義的な雰囲気がある。だが、そうした場でスキルを養われた、「使える」研究者のデータベースがイギリスには存在してきた。サイエンスフェスティバルを実施する人的素地があったのである。

科学のコミュニケーションで重要なのは、施設ではなく人である。東京のお台場では、二〇〇六年から、科学についてさまざまな角度から語り合うための広場「サイエンスアゴラ」が開かれている。これはこれで画期的な企てだが、街全体がフェスティバル気分で科学を語り合うには、東京はあまりにも大きすぎる。しかしサイエンスアゴラなどを通じて互いのノウハウを交換し、サイエンスコミュニケーションに情熱を燃やし、スキルを身につけた人たちが増えている。事実、二〇〇九年に開始された「はこだて国際科学祭」は、日本初の、街中で開催される市民主体の科学祭として、順調に発展を遂げている。

8 知識はシャンパンの泡のごとく

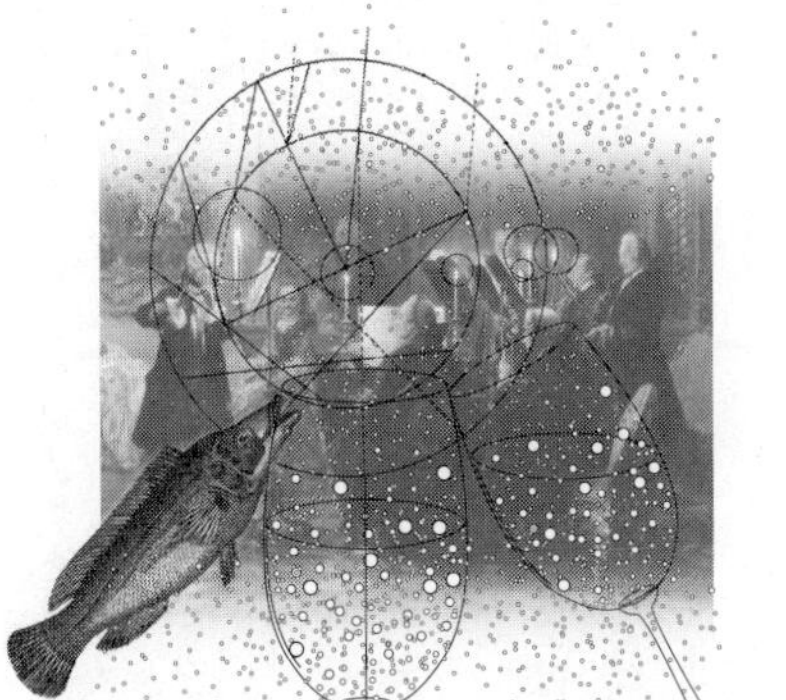

茶碗から宇宙へ

童話作家、鈴木三重吉は、愛娘に読み聞かせるための読み物としてふさわしい作品が世にないことを嘆き、児童向けの文芸雑誌『赤い鳥』を大正七(一九一八)年に創刊した。芥川龍之介の短編小説「蜘蛛の糸」は、その創刊号を飾った一作である。夏目漱石門下だった三重吉は、幅広い人脈を活かし、芥川龍之介のほか、島崎藤村、泉鏡花、有島武郎など、錚々たる顔ぶれに寄稿を依頼した。また、子どもの読者からも作品を募り、綴《つづ》方《かた》(作文)は自ら、詩は北原白秋が添削するという、今から見ればまことに贅沢な雑誌づくりを行なった。

その雑誌の大正一一(一九二二)年五月一日発行の号(第八巻五号)には、「茶碗の湯」という短い随筆が載った。筆者の名前は八條年也《はちじょうとしや》。子ども向けの科学随筆という、おそらく当時としてはめずらしいジャンルである。先に種明かしをしてしまえば、八條年也とは筆名で、真の著者は寺田寅彦だった。「茶碗の湯」の冒頭の一節を紹介しよう。

ここに茶碗が一つあります。中には熱い湯が一ぱい這入つてをります。ただそれだけでは何の面白味もなく不思議もないやうですが、よく気をつけて見ていると、段々に色々の微細なことが目につき、さまざまの疑問が起つて来る筈です。ただ一ぱいのこの湯でも、自然の現象を観察し研究することの好きな人には、中々面白い見物です。

寺田寅彦『寺田寅彦全随筆2』「茶碗の湯」岩波書店より

この一節を読んだだけでも、いかにも寅彦流である。このあと、話は茶碗の湯から立ち昇る湯気の物理学から大気のさまざまな自然現象へとおよび、壮大な様相を帯びたところで紙幅が尽き、「茶碗の湯のお話は、すればまだいくらでもありますが、今度はこれ位にしておきませう」と余韻をもたせて終わる。

それにしてもなぜ、八條年也などという筆名を使ったのか。寅彦の筆名といえば吉冬彦である。『寺田寅彦全随筆』の後記によれば、八條年也という筆名は、どうやら雑誌社がつけたもので、このとき一回かぎりの使用に終わったらしい。くわしい事情は承知しないが、もしかして科学者が子ども向けの雑文を書くということに抵抗があったのだろうか。いやこれは、寅彦一人のことではない。中谷宇吉郎の随筆に、この「茶碗の湯」を論じたものがある。

もう三年ばかり前のことであるが、小宮先生の紹介で鈴木三重吉氏の未亡人の方から、『赤い鳥』に昔出ていた通俗科学の話を纏《まと》めて、一冊の本にしたいから、その校訂をしてくれというお話があった。

（中略）あの中（引用者注＝『赤い鳥』のこと）には、毎月一篇ずつ児童向きの科学教育の文章がのっていたのである。（中略）当時の新進の若い科学の研究者たちに依頼して書いてもらったものであった。

この執筆者たちは、今は立派な一流の学者になっておられて、名前を言えば、誰でも知っている人が多い。しかし『赤い鳥』ではそれが殆《ほと》んど全部変名になっていて、随分意外な方が、意外な題目で書いておられるのもちょっと面白かった。

樋口敬二編『中谷宇吉郎随筆集』「『茶の湯』のことなど」岩波文庫より

臨時の筆名は、若い科学者の将来を配慮してのことだったのかもしれない。それはそれとして、この中谷の文章でちょっとおもしろいのは、三重吉の未亡人の依頼があるまで、寅彦が『赤い鳥』に寄稿したという事実を、寅彦の高弟である中谷自身も知らなかったという点である。

ところで、この話をもって来られた時に「この中に、たしか寺田先生が変名で書かれたものがあるはずだ」という話があった。私は大変興味をもって、それを心探しの気持で、ずっと読んで行った。その一篇は勿論《もちろん》すぐ分った。それは、八條年也という名前で出ていて、題は「茶碗の湯」というのであった。

「「茶の湯」のことなど」より

寅彦の生前に「茶碗の湯」の存在を中谷が知らなかった経緯は不明だが、掌編ながらこの作品が名品であることは、中谷も認めるところだった。身の回りのちょっとした事象から科学の方法論の本質に迫る筆致は、寅彦ならではのものである。そしてもちろん、この掌編からは、マイケル・ファラデー(一七九一〜一八六七)の古典的名作『ロウソクの科学』(矢島祐利訳、岩波文庫)がただちに連想される。

『ロウソクの科学』(原題は『ロウソクの化学史』)は、イギリスのロンドンにある王室認可の慈善団体ロイヤル・インスティチューション(王立研究所)での子ども向けの講演を本にしたものである。ロイヤル・インスティチューションは、科学の研究・教育を旨として一七九九年に創立された機関であり、自前の研究所をもつと同時に科学の普及活動も行なって現在に至っている。この場合のイギリス流の慈善団体というのは、寄付金などの税制上の優遇措置を受けられる団体を指す。ちなみにもう一つ、似たような組織で、一八三一年に設立された英国科学振興協会(BA)も、ロイヤル・インスティチューションとは違って政府からの資金援助は得ているものの同じ慈善団体である。

ロイヤル・インスティチューションの教授だったファラデーは、一八二五年に二つの画期的な事業を開始した。一つは、それまで、運営費捻出もかねて不定期に開催されていた一般向けの講演会(たいていは実験の実演つき)を、金曜日の夜に開催する正味一時間の科学講演会として設定し、「金曜講話」と命名したこと。もう一つは、年末年始にかけて五、六回開催する児童向け連続講演会「クリスマスレクチャー」を開始したことである。件の『ロウソクの科学』は、一八六〇年のクリスマスから一八六一年の正月にかけて開催されたクリスマスレクチャーを本にして一八六一年に出版したものなのだ。

寅彦がこの原本を読んでいたかどうかは寡聞にして知らない。ただ、「茶碗の湯」が発表された翌年の大正一二(一九二三)年には、東北大学の物理学者愛知敬一の筆になる伝記『電気学の泰斗 ファラデーの傳』(岩波書店)が出版されているほか、寅彦自身、たとえば昭和八(一九三三)年に発表された「科学と文学」(小宮豊隆編『寺田寅彦随筆集 第四巻』岩波文庫)など、後年には随筆の中で「通俗科学」(ポピュラーサイエンス)の語り手としてファラデーの名を出している。

教養としての科学

『ロウソクの科学』にしても「茶碗の湯」にしても、身近な素材から科学の本質、科学的なものの見方とは何かに迫っている。いずれも、優れた科学者に欠かせない資質である物語構築の才を遺憾なく発揮した名作である。科学とは、仮説を構築しては実験観察などでそれを検証し、さらに修正していく作業にほかならない。したがって、優れた研究者にはストーリーテラーとしての資質が欠かせないはずなのだ。そして科学者ならば誰もが、うまく物語仕立てにできるかどうかは別にして、取って置きの物語をもっているにちがいない。

さてそれでは、身近な現象に宿る奥深い物語を、われわれは単純に嘆賞するのみで終わればよいのだろうか。むろん、茶碗の湯に限らず薫り高いコーヒーや焼酎のお湯割り、キャンドルの明かりなどを前に蘊蓄《うんちく》を傾けるという使い道もなくはない。ほどほどの加減をわきまえれば、うざったい奴という烙印を押されることなく、会話に弾みをつける薬味として活用できるかもしれない。

だが逆に、単なる受け売りのネタとしてではなく、自分自身も、身の回りの現象をいくらかでも科学的に見られる素養を身につけていたとしたらどうだろう。そのような素養は、なんでもないような現象に対しても疑問や好奇心を抱いて、なぜという問いを発し、科学的な論の立て方で探求できる資質、あるいは姿勢といいかえてもよいかもしれない。これができるためには、基本的な知識も必要だろう。これらをひっくるめて、ひとまず、「科学リテラシー」と呼んでおきたい。

科学リテラシーというと、とかく科学技術の基礎知識だけを云々しがちである。図1

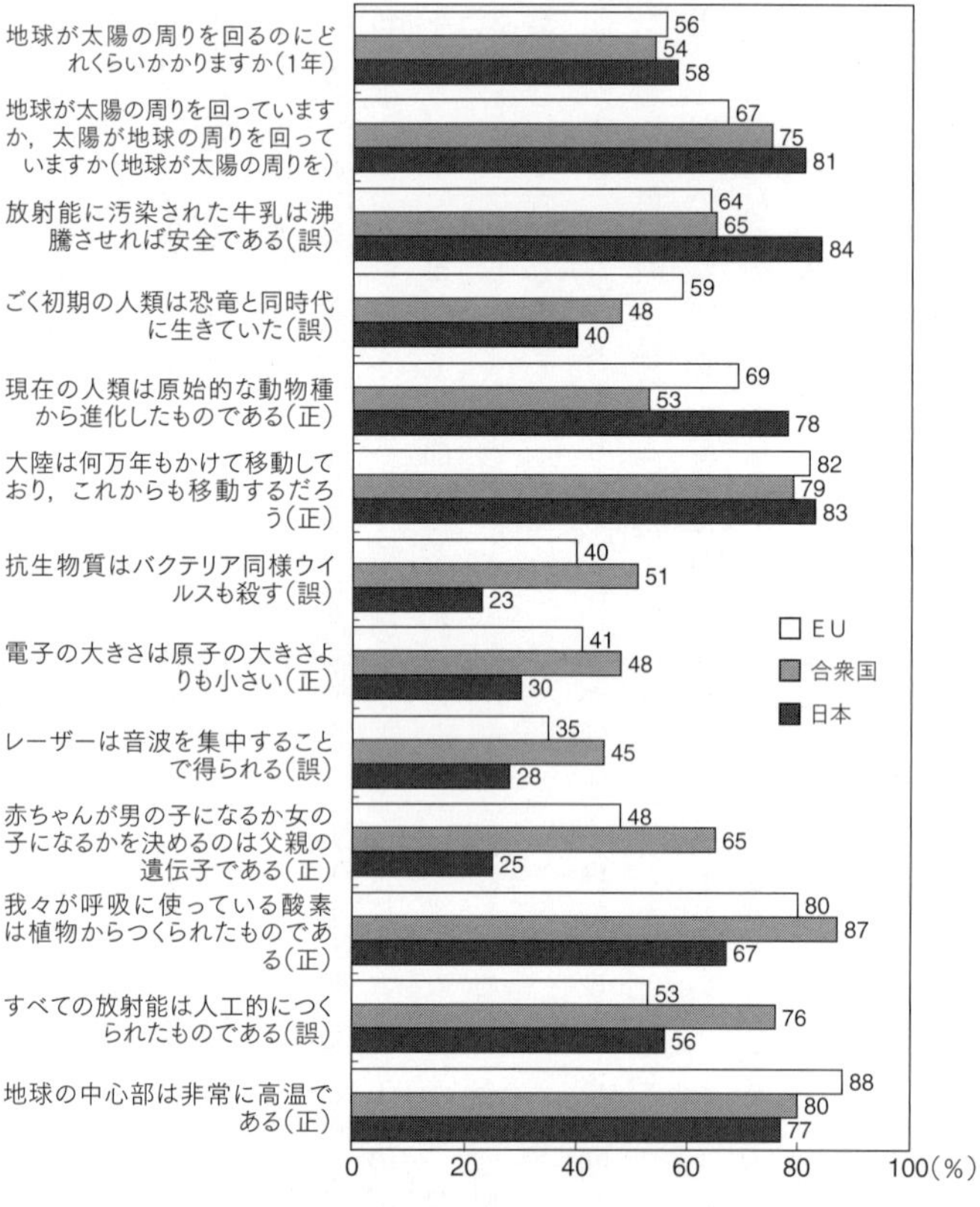

図1　共通13問の平均正答率の3地域比較(2001年)　(　)は正解．日本の調査は科学技術政策研究所が実施したもの．「大人の科学離れの現状　世論調査，国際比較の結果から」(渡辺政隆『天文月報』98, 817, 2005)より

は、基礎的な科学技術の知識を問う共通一三問の、国・地域別の正答率比較である。ごらんのように、質問ごとに正答率のお国ぶりが読み取れておもしろい。日本では、レーザーや人の遺伝について、義務教育では教えていないため、正答率が低くなっている。ウイルスには抗生物質が効かないことへの正答率が低いのは、扁桃腺炎などでは抗生物質が処方されることによる勘違いだろうか。タミフルが話題になっている今ならば、結果は違ってくるかもしれない。

リテラシーとは、本来、読み書き能力のことだったが、それが転じて、ある分野に関する専門知識や技量も意味する。リテラシーがあるとは、知識をもっているだけではなく、それを有効に使える能力もそなえていることを指す。むろん基礎知識をそなえることも重要だが、身につけた知識を活用すること、あるいは応用したり必要に応じて収集したりできる力も必要なのだ。つまり、蘊蓄に富むだけではだめで、それを応用できなければ、すなわち実際に蘊蓄を傾けられるのでなければだめということになる。もしかしたらこれは、広い意味での「教養」に通じるものかもしれない。

教養というと、古典文学や哲学書に通じていることととらえられがちである。しかし、西洋中世史学者の阿部謹也の論によれば、そもそもの「教養」とは、一二世紀に都市が成立し、職業選択の自由がある程度保証された段階で、都市で生活する市民が、自分はいかに生きるかを考え始め、それに答を与えるものとして登場したものなのだという。

ところが、時代が下るにしたがって「教養」の意味は変容していった。しだいに実生活から遊離し、哲学、宗教、芸術などの「純粋な学問」を身につけることでのみ人格を高められ、「教養」が身につくとする考え方が主流となっていったというのだ。その結果、科学技術は教養からはずされることになった。いみじくも「教養」にあたる英語はカルチャーなのだが、そうなると科学や技術は「文化」ではないということになる。政治思想史学者の苅部直はその著書の中で次のように述べている。

科学技術に代表される実用的な知識を「外的」で価値の低いものと見なして「文明」(Zivilisation)と呼び、内面を陶冶する哲学や宗教や藝術のみを「文化」(Kultur)として持ちあげる用語法——こうした意味で、「文化」と「文明」を対置したのは、イマヌエル・カントが最初だと言われる——が、(中略)十九世紀のドイツではしだいに広まることになる(中略)。大正日本の知識人が好んで口にした、「教養」「文化」の語は、ドイツ語文献から由来する、こうした歴史上の刻印を帯びていた。

これは三木が「読書遍歴」(一九四一年)で、自分の高校時代をふりかえりながら批判したところである。「あの『教養』といふ思想は文学的・哲学的であつた。それは文学や哲学を特別に重んじ、科学や技術とかいふものは『文化』には属しないで『文明』に属するものと見られて軽んじられた」。

茹部直『移りゆく「教養」』NTT出版より

イギリスでは、一八三一年に設立された英国科学振興協会の種々の活動により、科学は文化として認識されるようになった。翻って日本では、寺田寅彦や中谷宇吉郎などの存在があったにもかかわらず、しかも実生活では科学技術の恩恵を大いに受けながらも、科学技術と距離を置くことにさほどの違和感を受けない状態が続いている。

思うに、内面的な意味での「教養」には生活を豊かにしてくれるものも含まれるとすれば、科学リテラシーも教養を高めることに通じうるし、立派な「文化」となるのではないか。なぜなら、一杯のお茶、一本のロウソクに宇宙の仕組みを読み取れる素養こそ、内面生活の充実に寄与するものだからである。

ただし、お茶やロウソクでは、いささか古くさくて、なんとなくぴんと来ないという向きも多いことだろう。そこで最新かつ取って置きの例を紹介しよう。「シャンパンの科学」である。

泡沫の意味を知る

イギリスの物理学者ファラデーはロウソクで科学の奥行きを語り、日本の物理学者寺田寅彦は茶碗から立ち昇る湯気で森羅万象を語ったが、フランスにはシャンパンから湧き上がる泡を科学した物理学者がいる。まさにシャンパーニュ地方にある大学で研究するジェラール・リジェ＝ベレールである。彼が著した『シャンパン――泡の科学』(立花峰夫訳、白水社)は、文化の香りたっぷりの「通俗科学書」である。しかも、この研究に足を踏み入れたきっかけがいかしてる(英語で書かれた原著の書名『アンコルクト』も、エリック・クラプトンの名盤のタイトルみたいでいかしてる)。ちょっと長いが、引用しよう。

物語は、私がまだ学生だったある夏の午後に始まります。期末試験の最中でした。家に帰って勉強にとりかかる前に、どこかに寄ってビールを一杯ひっかけようと考えました。注意してほしいのは、どこかでビールをひっかけようとしたのが、物理学を学んでいた学生だったという点です。それだけではありません。私の専攻は流体物理学で、写真が趣味だったのです。晴れた暑い日でした。酔いながら、当時していた勉強のことや、この先どんな研究をすべきかをあれこれ考えました。(中略)私の注意は目の前にあるビールに集中していきました。金色の泡がビールの中を、あるいはグラスの内壁に沿って立ち上がっています……。(中略)空に浮かぶ雲、暖炉で揺れる火、海辺に寄せる波など、人間の想像力が自然にかき立てられる日常現象があります。立ち上る泡も、まさにそうした現象のひとつだと私は感じました。

（中略）もっと泡のことを知りたいと思ったのです。（中略）自分は、発泡性飲料の研究がしたいのだと、（中略）その時突然ひらめきました（ちょっと酔っていたせいもあるでしょう）。

『シャンパン――泡の科学』より

泡を科学するなら、シャンパンではなくても、最初にインスピレーションを得たビールやサイダーでもよさそうなものである。しかし、泡の美しさではシャンパンの右に出るものはない。それはなぜなのか。『シャンパン――泡の科学』では、その科学的な理由が解き明かされている。

知って驚いたのは、ぴかぴかに磨き上げられた塵一つないグラスに静かにシャンパンを注いだのでは、泡は立たないということだ。シャンパンの液の粘性（ファン・デル・ワールス力）に抗して二酸化炭素の泡が立ち上がるためには、泡ができるための核となるエアポケットがなければならない。それを提供するのが、微細なセルロース繊維の空洞だという。

布巾で磨き上げたグラスには、目には見えないが必然的に繊維が付着しているし、空気中を漂う塵状の繊維が付着したりもする。実際、人工的に塵一つない状態にしたグラスに注ぐと、泡は立たず、シャンパンから溶け出した過剰な二酸化炭素は液体の表面から静かに放出されるのみだという。一方、標準的なフルートグラス（あの細長いやつ）にシャンパンを静かに注いで放置すると、およそ二〇〇万個の泡が立ち昇る。

シャンパンには、ビールに比べるとおよそ三倍の量の気体が溶けている。したがって、出る泡の量が多いだけでなく、出続ける時間も長い。また、グラスの底から出た泡は、液面に届くまでの間に成長していく。

気泡を保護する界面活性物質の量がシャンパンではビールよりも少ないため、立ち昇る泡は少しずつ成長しながら加速し、液面までまっすぐに立ち昇る。そして液面に達した瞬間に泡は弾け、シャンパンの液が空気中に噴出する。これは、気泡が破裂した瞬間に気圧が激変し、液面から液が吸い上げられることによる。そしてじつはこの噴射が、口中や鼻孔に得も言われぬ香気を届ける。

シャンパンを科学してみて判明した事実は、シャンパンが占めている特異な地位をすべて裏づけるものだった。まるで、あらかじめすべてが計算し尽くされていたかのごとく、シャンパンはつくられていたのだ。こうした事実を知って味わうシャンパンの味は、知る前よりも数段美味しいはずだと思うのは、理系の人間だけだろうか。決してそんなことはないと思う。

無用の用

シャンパンがなくても人は生きていける。しかし、どうせ飲むならば、美味しく楽しく飲むに越したことはない。そのためには、飲み頃の温度や注ぎ方、最適なグラスなどに関する知識やマナーも有用だが、一見役に立ちそうにない泡沫の知識も、芳香をなおいっそう高める上で役に立つ。

このように、科学リテラシーが生活を豊かにする好例は、シャンパン以外にもたくさんある。やはり最近読んだ本で楽しかったのは、「雲を愛でる会」の話である。雲ウォッチングが趣味だったイギリス人デザイナーが雲の写真を載せるウェブサイト(http://www.cloudappreciationsociety.org/)を立ち上げ、同好会をつくろうと呼びかけたところ、世界中から二〇〇〇人近い同好の氏が集まった(G・プレイター＝ピニー著、桃井緑美子訳『「雲」の楽しみ方』河出書房新社)。

鱗雲や羊雲、鰯雲、入道雲など、季節を感じさせる雲の名前は知っていても、そのような雲ができる仕組みは、たいていの人はさして気にしないものだ。しかし、背景を知れば、同じ雲を見ても味わいがずっと深まる。おまけに、急激な気象変化や明日の天気を占えるかもしれないとあっては、決して無用の知識ではない。

雲といささかでも関係したことでは、個人的に、ハワイ島でとても印象的な体験をしたことがある。早朝、妻とぼくは、キラウエア火山を上空から見学するヘリコプターツアーに参加した。火口から赤い溶岩が流れ出して海に押し寄せ、水蒸気を上げる壮大な光景を堪能できるツアーである。溶岩が一面に広がる火口見物を終え、背後から朝日を浴びたヘリは、薄いもやの中を一路、緑におおわれたヒロの町方面に向かっていた。すると、ヘリの行く手に虹が出現し、やがてヘリは円形の虹に囲まれる格好になった。この出来事に、ツアー参加者はみな幸せな気分になった。なにしろわれわれ一行は、虹の光輪に包まれたのだ。

しかし、じつはこれは必ずしも虹の輪をくぐったわけではないことに、あとになってから気づいた。ぼくらは、ブロッケン現象に遭遇したのだ。つまり、ヘリを通り越した光が霧によって散乱し、ヘリを取り囲むような虹色の光輪が出現したのである。現象の理由がわかり、神秘性とご利益はいささか薄れたが、それであのときの体験の価値が損なわれたかといえばそんなことはない。ブロッケン現象との遭遇という、それはそれで得がたい体験をし、その仕組みを得心できたことによって、むしろ体験の価値は高まり、記憶も再び鮮やかな色彩を帯びたからである。

科学技術のリテラシーは、むろん、安心で安全な生活を送る上でも有用である。たとえば、厚生労働省人口動態統計によると、二〇〇六年度の家庭内事故死者数は一万二一五二名で、交通事故死者数の九〇四八名を上回っている。家庭内の事故に関しては、安全知識や科学技術の基本知識があれば防げたものが多い。精神的な生活を豊かにする知識やリテラシーがあるだけでなく、命を救うリテラシーも存在するのだ。

日本学術会議を中心に、すべての日本人の大人に身につけてほしい科学技術リテラシーを検討するための「豊かに生きるため(科学技術)の智プロジェクト」が実施された。その結果、七つの専門部会の報告書と全体報告書がまとめられた。

シャンパンの泡のように弾けて香り立つ「科学の智」は、万人の生活を豊かにしてくれるはずである。

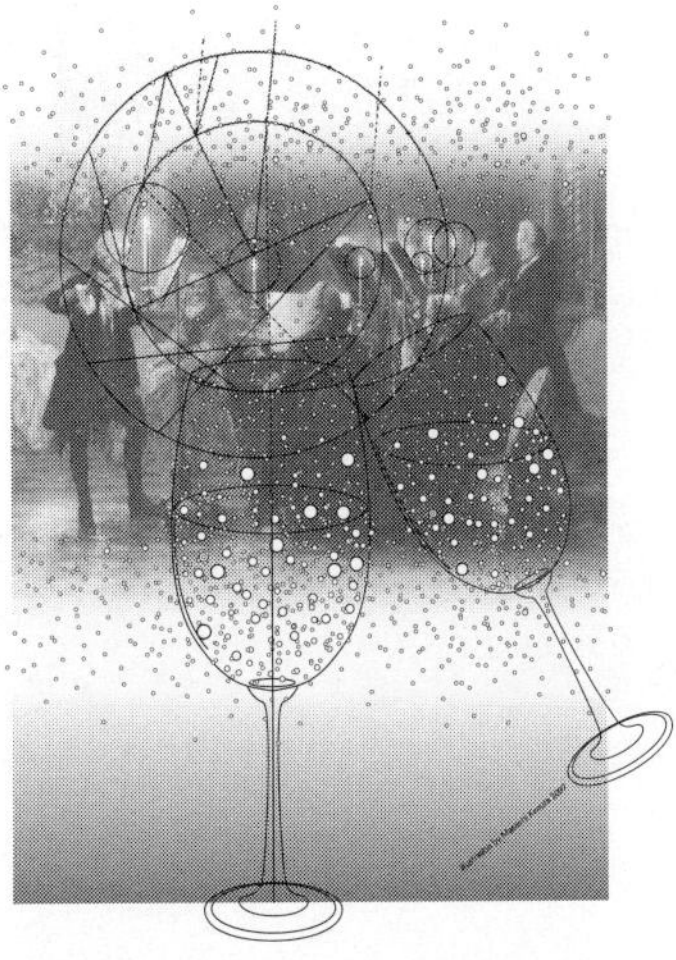

9　ライフコースをデザインする

眠れる遺伝子を起こす

イギリスでクローンヒツジ「ドリー」が生まれたというニュースが世界中を駆け抜けたのは一九九七年。それからちょうど一〇年後の二〇〇七年、今度は日本発の科学ニュースが世界を驚かせた。京都大学の山中伸弥教授によるヒト・iPS細胞（人工多能性幹細胞）作製の報である。この二つのニュースは、一見すると別の話のようだが、まさに「寝た子を起こす」という意味で共通点がある。

ヒトの体は二〇〇種類以上におよぶ、およそ六〇兆個の細胞でつくられているといわれる。しかし、もとをただせば出発点はたった一個の受精卵である。一個の細胞が分裂し、それぞれがまた分裂するということを繰り返しつつ、それぞれ異なる組織や器官を形成していくのだ。つまり、最初の出発点である受精卵は、事実上、何にでもなれる細胞なのである。それなのに、分裂を繰り返していくうちに、特定の器官にしかなれない細胞になっていく。可能性をどんどん狭めていくようなもので、どこか人生と似ていてちょっとせつない。

そうしたプロセスを統御しているのは、個々の細胞に一個ずつある核に収納されているＤＮＡである。このＤＮＡ自体は、体の部位、器官のちがいにかかわらず、すべての細胞に共通している(ただし、生殖細胞(精子と卵子)だけは別。生殖細胞は、半分量のＤＮＡしかもっていない。ふつうの細胞(体細胞)が対でもっている染色体を、シャッフルして一セットに減らす減数分裂という過程を経て形成されるためで、その結果として、量としては半分のＤＮＡセットをもつことになる。定義的にはこの半分量のＤＮＡセットがゲノムと呼ばれる)。それなのに、異なる器官を構成する細胞になっていくのは、いうなれば、最初の何にでもなれる細胞(万能細胞)で目覚めていた遺伝子が次々と眠りについていき、特定の決まった順番で遺伝子のスイッチが連続的にオンになっていくからである。つまり、皮膚の細胞とか神経の細胞など、いったん将来の役割が決まってしまうと途中変更がきかなくなるのだ。

これはこれで優れた方式である。なぜなら、細胞分裂が起こるたびに、すべての可能性を精査した上で個々の細胞の役割を決めることにしたのでは効率が悪いし、まちがいも起こりやすい。発生が進む各段階で線路のポイントを切り替え、枝分かれ方式にその後の進路を決めていくほうが、はるかに効率がいい。そしてその方式で、何の問題もない。クローンヒツジのドリーとヒトｉＰＳ細胞の画期的なところは、それぞれ乳腺細胞と皮膚細胞という、ふつうの体細胞の遺伝子をリセットし、寝た子をたたき起こした点にある。

ドリーは、乳腺細胞を栄養不良状態の条件下で培養するというショック療法によってDNAを初期化した核を、別のヒツジの卵子の核と入れ替えた。ここで重要なのは、卵子のDNAは一セットのゲノムだが、乳腺細胞は二セットのゲノムをもっていることだ。ようするに、卵子を受精卵に変えてしまったわけである。これを子宮に着床させれば、精子なしで妊娠したことになる。そして実際にドリーが誕生した。

一方のヒトiPS細胞は、体細胞を万能細胞として目覚めさせるために必要な遺伝子四つを特定し、皮膚の細胞にその四つの遺伝子(のちに三つの遺伝子でも事足りることがわかった)を導入することで、万能細胞(多能性幹細胞)化することに成功したのである。体細胞を万能細胞に変身させることができたということは、損傷した脊椎や臓器など、必要な器官の細胞を人工的につくり出せる可能性が見えたということであり、この点が大々的に報道されることになった。いわゆる再生医療への応用である。

むろん、応用の可能性は重要である。しかしiPS細胞の真にすごい点は、ここまで述べてきたように、眠りについた遺伝子を目覚めさせれば、すっかり定まってしまったはずの体細胞を、その原点である発生開始直後の細胞の状態まで復帰させられること、細胞がどういう組織に分化するかを決めているのは確かに遺伝子なのだということを如実に示したことにある(その詳細な仕組みは不明ではあるにしても)。

iPS細胞そのものは、二〇〇六年にマウスの細胞で成功していた。したがってこの研究のすごさは、その時点でもっと語られていてもよかった。

科学の誘引力

iPS細胞の研究は、ヒトの細胞への応用に関心が移り、アメリカの複数の研究チームが猛烈に追い上げたことで、社会的な注目を浴びるにいたった。とくに、それまでの万能細胞作製の研究は、ヒトの卵子や受精卵を使用したES細胞（胚性幹細胞）の研究が主で、倫理的、宗教的な問題がからんでいたのに対し、iPS細胞は体細胞を用いるため、その点が問題にならないことが大きかった（ES細胞は、発生初期の胚から取り出した、多能性を保持した状態の細胞。培養のしかたによっては、そのままの状態でいつまでも分裂を繰り返す）。

キリスト教原理主義を有力な支持母体の一つとしているブッシュ大統領が、アメリカチームが山中教授のチームの一週間遅れでヒトiPS細胞の作製に成功したとの報に対して歓迎のメッセージを発表したことも、ニュースで大きく報じられた。今後は応用研究の段階で、関連特許をめぐる競争も熾烈になることが予想されることもあって、日本でも、オールジャパンの研究態勢が急遽整えられることになり、五年間で予算総額およそ一〇〇億円という方針が決定された。

再生医療の研究は、これまでも盛んに行なわれてきたが、実用化はもうちょっと先と考えられてきた。それが、二〇〇七年一一月二一日の山中教授による論文発表を突破口に、にわかに現実味を帯びてきたわけである。それからの一カ月は、まさに疾風迅雷の展開だった。じつはその最中、日本の科学界にとっては同じくらい衝撃的なニュースが流れたのだが、そちらのほうはiPS細胞騒動の陰であまり話題になることはなかった。

そのもう一つのニュースとは、OECD（経済協力開発機構）が世界の五七カ国・地域（台湾、香港、マカオなどが「地域」に含まれる）を対象に実施した「生徒の学習到達度調査（PISA）二〇〇六」の結果が一二月四日に世界で同時に発表されたというものだ。これは、一五歳（日本では高校一年生）を対象に、数学と理科の学力（リテラシー）そのほかの国際比較を試みた調査である。メディアのニュースでは、二〇〇三年に行なわれた前回の調査から、日本の成績が下がったという点に主な焦点が当てられていた（科学的リテラシーの平均点は五三一点で、二〇〇三年の二位から六位に落ちた）。しかしじつは、それ以上にショッキングなデータが隠れていた。それは、「三〇歳になったときに科学技術に関係した仕事に就いていると思いますか」という質問に対して、イエスと答えた日本の高校一年生はわずか七・八パーセントしかおらず、参加した五七カ国・地域（世界平均は二五・二パーセント）中最低だったことである（図1）。

ここでいう「科学技術に関係した仕事」とは、いわゆる科学・工学の専門家、あるいは技師、医学・看護系の専門家、IT技術者などを指している。つまり、日本でいう理

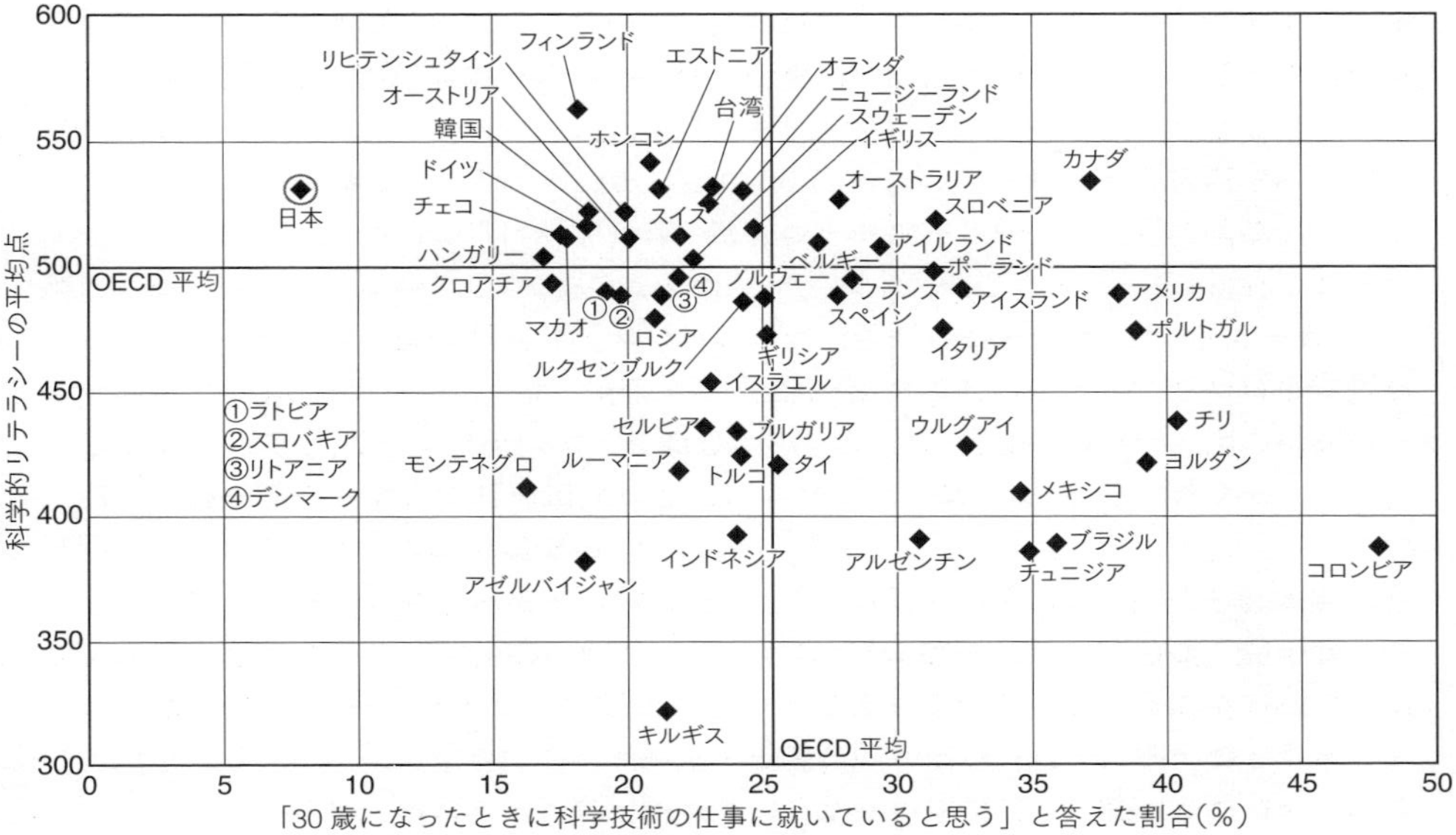

図1　PISA 2006 調査結果分布

系の職業全般にあたる。

日本における理系、それもとくに工学系離れに対する懸念は今に始まったことではない。しかし、PISAに参加した五七カ国・地域のうちでワースト二位となったモンテネグロの一六・二パーセントを、断然引き離しての最下位という数値の意味は重い。ただ、全体の傾向として、科学的リテラシーのテスト(世界平均が五〇〇点、標準偏差が一〇〇点になるよう補正してある)で高得点をとった国・地域でも、理系の職業離れが顕著に表れているということはある。

たとえば平均点が五六三点と最高だったフィンランドは一八・一パーセント、五二二点の韓国は一八・五パーセント、五一六点のドイツは一八・四パーセント、五一三点のチェコは一七・四パーセント。一方、平均点が国際平均を超えていて、しかもこの質問でイエスと答えた生徒の割合が高い国としては、五三四点のカナダの三七・一パーセント、五二七点のオーストラリアの二七・八パーセント、五一〇点のベルギーの二七・〇パーセントなどがあった。ちなみにアメリカは、科学リテラシーの平均点は四八九点と世界平均を下回っているものの、理系の職業に関しては三八・一パーセントの生徒がイエスと答えている。

明確な相関や因果関係は見つけにくいが、漠然とした印象として、生活が豊かになり、ほしいものは何でも買える時代になると、苦労が多そうに見える理系の職業よりは、楽に稼げそうな文系の職業に流れるのは自然なことなのかもしれない。以前、スウェーデンの科学教育関係者の講演で、スウェーデンでも理系を志望するのはスウェーデン語にハンディのある移民に多く、全般的には理系離れが目立つという話を聞いたことがある。そのなかにあってアメリカの理系志向が比較的高いのは、たとえばビル・ゲイツに代表されるようなIT長者の存在が大きいのかもしれない。あるいは、多くの理系出身MBA（経営学修士）取得者が大企業のトップの座にあるという現実が、アメリカではプラスイメージに作用しているのかもしれない。

科学者のイメージ

理系離れの原因としてよく語られるのが、理系の職業は苦労が多い割りに報われないという意見である。だが、理系の職場でやりがいをもって働いている人も多い。むしろ、社会が理系に対して「いけてない」イメージをつくり出しているのではないのか。

アメリカの著名なサイエンスライターで、テネシー大学とメリーランド大学の科学ジャーナリズム学科の教授も務めたジョン・フランクリンは、一九九七年にテネシー大学で行なった講演で興味深いデータを紹介している。その一〇年ほど前にアメリカのある大学の社会学研究室が行なった調査によると、アメリカのテレビドラマに登場する人物の職業別死亡率（ドラマの中で死亡する割合）は、科学者が最も高く一〇パーセントあまりだったというのだ。そのようなドラマを日常的に見ている大衆は、科学者は危ない職業だという印象を抱きかねないとフランクリンは述べている。

一方、日本においては、漫画やアニメ、SFなどが、科学技術者のイメージ形成に大きな影響を与えてきたと思われる。たとえば二〇〇二年にノーベル化学賞に輝いた田中耕一は、小学生のころに『空中都市008 アオゾラ市のものがたり』(小松左京作、和田誠絵、講談社)という空想科学小説作品を夢中になって読んでいたという。

歴史的に見ると、日本のその分野においては手塚治虫の存在を無視するわけにいかない。日本を代表する漫画家・アニメ作家である手塚治虫(一九二八〜八九)の作品発表の期間(デビューは一九四六年)は、科学技術を基調とした日本の高度経済成長期とほぼ一致している。古今東西を問わず、とかく科学者というと毛髪の薄い、白髪で鼻ひげを蓄えた白衣姿の「冴えない」、あるいは「危ない」おっさんというイメージが多いが、手塚が創造したお茶の水博士も、少なくとも見かけはそうしたイメージと無縁ではないだろう。

ならば、手塚作品における科学技術者の描かれ方はどうなのだろう。四十数年間に発表された手塚の作品群の中に登場する科学者・技術者のキャラクターを、その手のものに造詣の深い畏友植木不等式が調べ上げてくれた。

その結果、手塚が描いた、科学技術者と特定できて善悪・生存死亡などの属性が判別できるキャラクター総数は二七二名、そのうち女性は六名だった。単純に生存率と死亡率を調べると、無事に生存した割合は五六・六パーセント(一五四名)、心身いずれかに危害(心神喪失)を受けたのは一三・三パーセント(三六名)、死亡率は三〇・一パーセント(八二名)だった。

これはかなり高い死亡率だが、活動期前半に手塚が好んで描いた題材はロボット戦争物であることを勘案する必要があるだろう。これを悪人か善人かなどの属性で分けたうえでその死亡率を見ると、善人は二三・九パーセント、悪人は四六・八パーセント、犯罪的意図はないまま実行した行為で社会に害悪をもたらした人物は三三・三パーセントだった。悪人の死亡率は勧善懲悪的な筋立てとすれば決して低くないといえるが、善人の死亡率も低くはない。このような漫画が子どもたちにどのようなイメージを植えつけるかは不明だが、たとえばアトムとお茶の水博士との関係のように、無私的な利他行為を実行するロボット開発の良好なイメージを強調する効果はあっただろう。ちなみにお茶の水博士も原作では最後に危害を受ける。

表　手塚治虫の漫画における女性科学技術者キャラクターの専門分野別属性と運命

運命	専門	善人	過失	悪人
生存	医学		1	
	博士	1	1	1
危害	博士	1		
死亡	化学			1

手塚作品に登場する女性科学技術者のキャラクターは全部合わせてもわずか六名であるが、その専門と属性、運命は表のとおりである。専門分野が特定できる二人がそれぞれ医学と化学であり、

工学系でない点は興味深い。現在ならばバイオ系が増え、工学系も登場していたかもしれない。しかし総じていえるのは、手塚が活躍した時代にあっては、女性と科学技術というイメージはもちにくかったということなのだろう。それでも、手塚作品を読んで育った世代に、科学技術は危険で女には向かない職業というイメージを抱いた子どもがいなかったとはいえない。

メディア戦略

ニューヨークのロックフェラービルに事務所を構えるアルフレッド・P・スローン財団は、科学技術の振興・普及を目的として、元ゼネラルモーターズ会長アルフレッド・P・スローンが一九三四年に設立した財団である。二〇〇五年末時点の総資産は約一五億八一〇〇万ドル、年間助成総額は六一〇〇万ドルと、アメリカとしては、どちらかといえば小規模な財団ではあるが、科学技術公衆理解プログラム、それもとくに出版、映画、放送、演劇等のマスメディアを利用した科学技術公衆理解活動への助成を行なっている点でユニークな民間財団である。しかも、年間助成総額およそ一〇〇〇万ドルの科学技術公衆理解プログラムの運用は、プログラムディレクターであるドロン・ウェーバーがただ一人で運用している点など、日本ではおよそ想像できない。

同プログラムの基本姿勢は、「科学技術についてもっと現実的で説得力のあるストーリーをつくろう、一般の人たちが考える科学者、技術者、数学者のステレオタイプなイメージを壊そう」というものである。人びとは科学技術に対して漠然と敬意を抱いてはいるものの、一般的なイメージとしては難しい、ちょっと引くというもので、必ずしもよい印象はない。しかも実際の科学者や技術者と会ったことのあるアメリカ人は少ない。その結果、科学技術者という謎めいたエリートに関してステレオタイプ化し、既存の悪いイメージを借用しやすくなっている。そうした固定観念を崩すために、出版、ラジオ、テレビ、映画、演劇、インターネットといったメディアを活用しようというのだ。ただしそこで目指しているのは、決してイメージの「向上」ではなく、あくまでもイメージを「変える」ことだという。

演劇に重きを置いている点が日本人にとっては理解しにくいが、アメリカではブロードウェイの影響力が比較的大きいこと、演劇に対する財政支援は映画に比べればはるかに安くすむこと、さらには演劇で成功すれば映画化の道(ハリウッド資本による)が開けることなどがその理由だという。

一方、映画に対する支援も行なっている。ただし、ハリウッド映画の制作を支援するほどの財力はない。そこで、大学の映画学科在校生を対象としたシナリオ賞の提供、サンダンス映画祭やトライベッカ映画祭などにおけるスローン賞の授与などが主である。シナリオ賞および映画賞の基本条件は、科学技術がテーマであるか、主人公が科学技術者（数学者を含む）であることだという。

こうした試みが生み出した直接の成果としては、ハリウッドで制作される医療や科学関連のテレビドラマや映画で、主人公が科学者や数学者である作品が一挙に増加したことだという。たとえば、『ＥＲ』『ＣＳＩ――科学捜査班』といったテレビドラマ、『ビューティフル・マインド』『プルーフ・オブ・マイ・ライフ』などといったハリウッド映画がある。ただし、このようなブームは意図してつくり出せるものでもない。大切なのは、科学や科学者を素材にした作品もありうることを制作サイドの人びとに認識してもらうことというのが、件のスローン財団のポリシーである。

こうしたメディアや活字がおよぼしうる影響としては、日本でも小川洋子の小説『博士の愛した数式』（新潮社）がベストセラーとなって映画化され、ちょっとした数学ブームを生み出した例がある。あるいは、人気歌手でもある福山雅治主演のテレビドラマ『ガリレオ』が高視聴率を得た。

何のための科学か

しかし、科学者が主人公のテレビドラマや映画が増えるだけで問題が解決するとは思えない。これまでいくつかの調査で明らかにされてきているが、学校の生徒たちは決して理科が嫌いなわけではない。むしろ、主要五教科の中ではいちばん好きという答が多

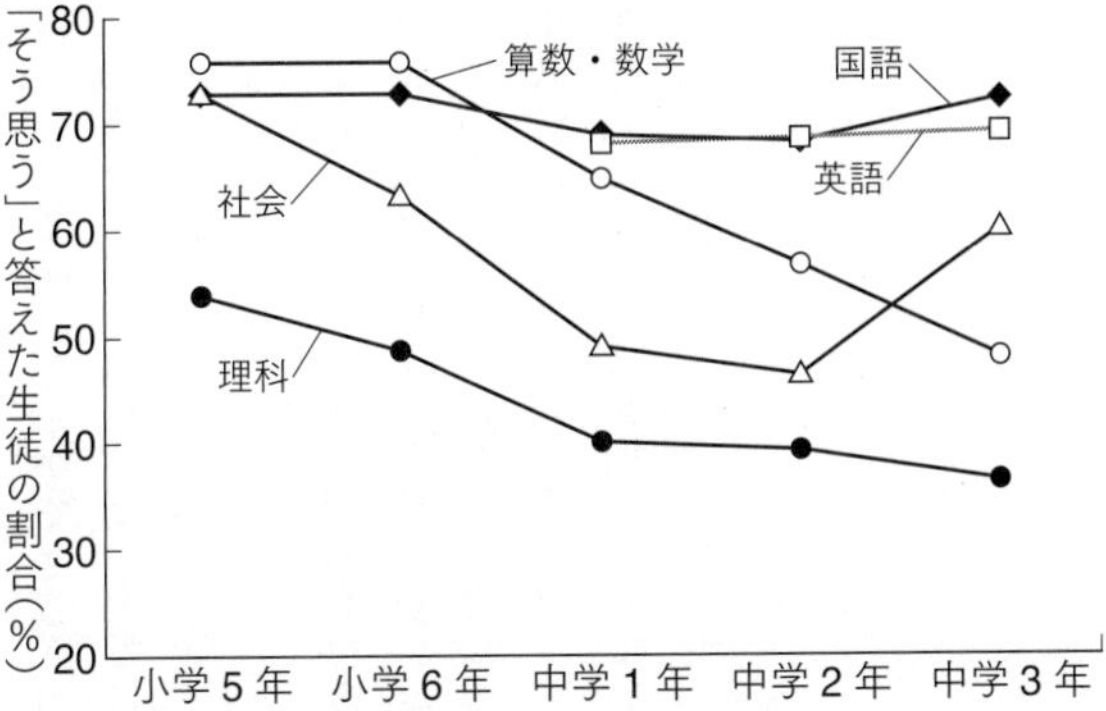

図2　勉強はふだんの生活や社会に出て役立つと答えた生徒の割合　「○○を勉強すれば，私のふだんの生活や社会に出て役立つ」に対して，「そう思う」および「どちらかといえばそう思う」と答えた生徒の割合．国立教育政策研究所「平成13年度教育課程実施状況調査」より作成

い。理科は、誰の心にもある好奇心を刺激する格好の教科なのだろう。

　ところが、勉強が将来役立つと思うかという問いには、英語や国語に関してはイエスと答える生徒が多いのに対して、理科に関してはノーと答える生徒が多い傾向が見られる(**図2**)。理科で学ぶ知識や考え方が、生きていくうえで必要なリテラシーの一つとは認識されていないのだ。まずはこの状況を変えていく必要がありそうである。

　西洋中世史学者の阿部謹也はその著書の中で次のように述べている。

　　教養があるということは最終的にはこのような「世間」の中で「世間」を変えてゆく位置にたち、

何らかの制度や権威によることなく、自らの生き方を通じて周囲の人に自然に働きかけてゆくことができる人のことをいう。(中略)個人は学を修め、社会の中での自己の位置を知り、その上で「世間」の中で自分の役割をもたなければならないのである。

『「教養」とは何か』講談社現代新書より

この「教養」の中身には科学リテラシーも含まれるはずである。科学リテラシーとは、理系人材を確保するためだけに必要なのではない。一人ひとりが自らの人生をデザインしていくための素養として身につけるべきものである。細胞はあらかじめ決められたコースをたどって一人の人間をつくり上げるが、そうやってできあがった人間は、自らの手で人生のコースを切り開いていかねばならない。生きるための職業が理系であれ文系であれ、最低限の科学リテラシーは万人にとって必要な素養であるはずなのだ。

10　ニセ科学への免疫力

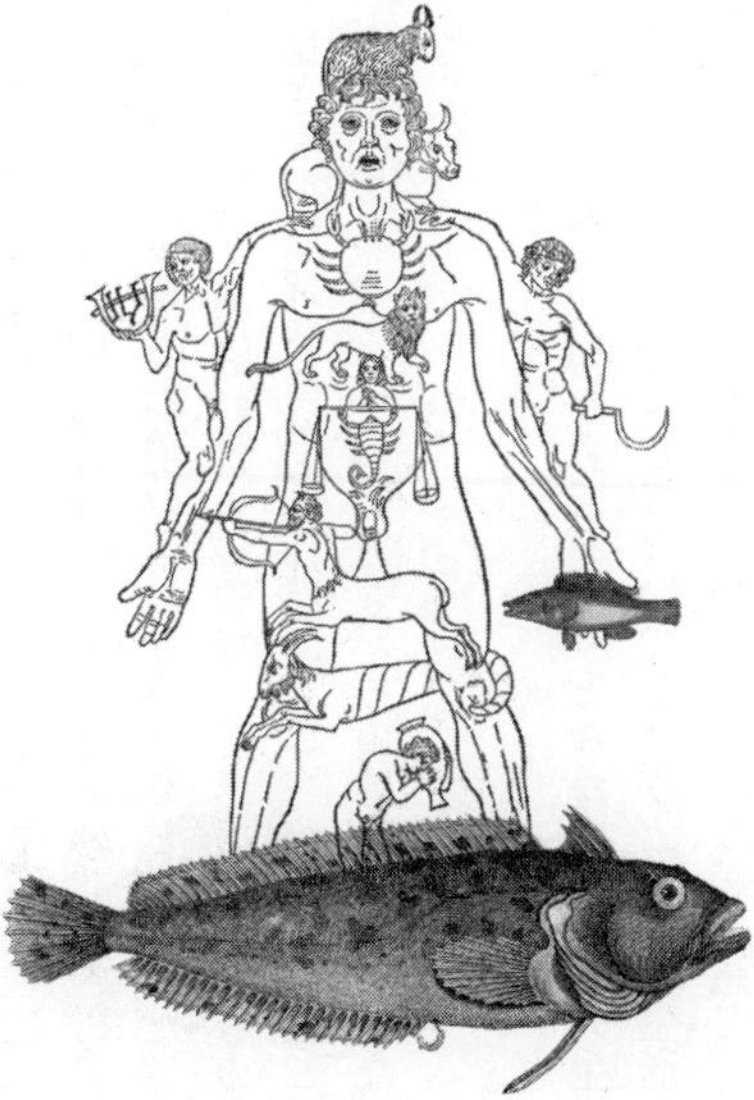

潜在する好奇心を目覚めさせる

海洋生物学の研究者から作家に転じたレイチェル・カーソン(一九〇七〜六四)は、「春が来たが、沈黙の春だった」の一節で有名な『沈黙の春――生と死の妙薬』(青樹簗一訳、新潮文庫)で農薬万能神話に警鐘を鳴らし、世界の環境政策に転換点をもたらした。晩年を迎えていたカーソンは、姪が遺した幼子との触れ合いの中で、すべての子どもの心には「センス・オブ・ワンダー(神秘さや不思議さに目を見はる感性)」が潜在することを実感した。そして最後のメッセージとして、すべての子どもがその感性を大人になるまでもちつづけることの大切さを訴えた。

> 地球の美しさと神秘を感じとれる人は、科学者であろうとなかろうと、人生に飽きて疲れたり、孤独にさいなまれることはけっしてないでしょう。たとえ生活のなかで苦しみや心配ごとにであったとしても、かならずや、内面的な満足感と、生きていることへの新たなよろこびへ通ずる小道を見つけだすことができると信じます。
>
> R・カーソン著、上遠恵子訳『センス・オブ・ワンダー』新潮社より

カーソンの言うセンス・オブ・ワンダーは、身の回りのちょっとした自然現象を不思議に思う心、誰にでもあるはずの潜在的な好奇心と言い替えられる。「神秘」と言っても超常現象のことではない。感性がとらえた神秘や不思議は、理性を駆使して答えようとすることで科学という営為となる。カーソンが強調しているのは、科学的知識を学ぶことではなく、その入り口である。それは押しつけによって学べるものではない。

ロジャー（引用者注＝姪の遺児の名前）がここにやってくると、わたしたちはいつも森に散歩にでかけます。そんなときわたしは、動物や植物の名前を意識的に教えたり説明したりはしません。
ただ、わたしはなにかおもしろいものを見つけるたびに、無意識のうちによろこびの声をあげるので、彼もいつのまにかいろいろなものに注意をむけるようになっていきます。

『センス・オブ・ワンダー』より

カーソンのこの姿勢と驚くほど一致する逸話がある。それはおちゃめな天才物理学者としていまだに人気のある故リチャード・ファインマンに関するものだ。

ファインマンがまだ少年だったある夏のこと、ニューヨーク州キャッツキルマウンテンで、友だちに尋ねられた。「あの鳥が見える？　何という名の鳥だろう」。ファインマンは、「知らないよ」と答えた。すると、その子は言った。「君のお父さんはなんにも教えてくれないんだね！」。しかし、ファインマンの父親はその鳥について彼に教えたことがあったのだ――独自の教え方で。ファインマンは父の言葉を覚えている。

あの鳥を見てごらん。スペンサー鳥だよ(父は本当の名前を知らなかったのだと思う)。おまえは世界中のあらゆる言葉であの鳥の名前を知ることができる。しかし、それを知ったところで、あの鳥については何一つ知っていることにはならない。色々な場所で人があの鳥をなんと呼んでいるかがわかるだけだ。あの鳥をよく見て、何をしているかを見るんだ。それが大切なんだよ。

B・アルバーツ、S・P・マーシャル他編、渡辺政隆監訳、野中香方子訳『科学力のためにできること』「『科学気質』を創造する」近代科学社より

一般に理科離れという言い方がされるが、じつはイコール理科嫌いというわけではない。その証拠に、小中学生を対象とした統計によれば、主要教科の中でほぼ一貫して人気ナンバーワンの座にあるのが理科なのだ(**図1**)。ご覧のように、ナンバーワンの座か

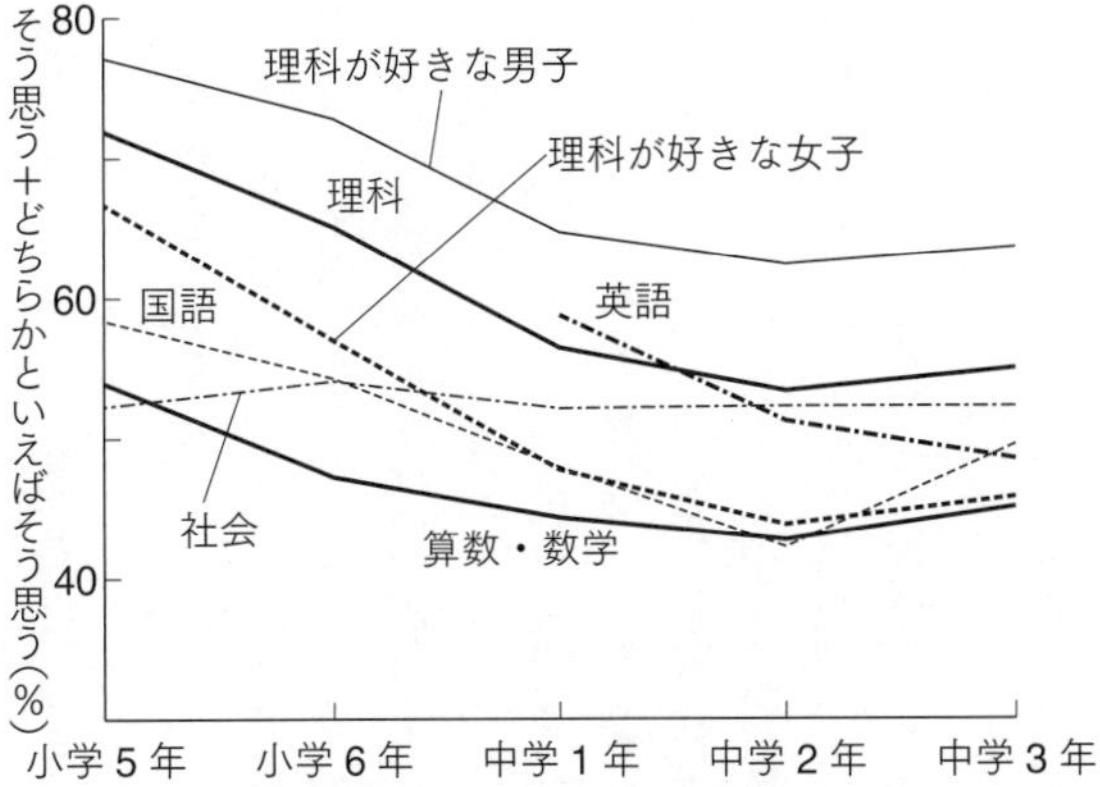

図1　○○の勉強が好きだ　国立教育政策研究所「平成13年度教育課程実施状況調査」より作成

ら落ちるのは、新たに英語の授業が始まる中学校一年時だけなのである。子どもたちの感性は、理科をおもしろいと思っているのだ。

ただしここで問題なのは、好奇心をくすぐるおもしろさを順調に育むカリキュラムやプログラムが充実しているかどうかである。たとえば学校の課外授業で地元の科学館や科学センターを訪問したとする。そこで科学館のスタッフによるサイエンスショーや展示を楽しんだとしても、その体験が学校にもどってから活かされる機会は少ない。理科や科学を楽しい、おもしろいと思う機会を設けると同時に、科学の知識を体系的に学ばせることが大切である。自然界の神秘や謎に驚嘆するたびに、一人の力でゼロからその謎に取り組む必要はない。先人が積み上げてくれた知識と方法を活用しない手はないからだ。それこそが、科学のリテラシーを学ぶということである。

プチ科学ブーム?

「子は親の鏡」と言うように、子どもが理科・科学離れをしているとしたら、それは大人にも原因があると考えてみるべきだろう。日本では、一九七六年からほぼ四〜五年ごとに、総理府(現在は内閣府)が一八歳ないし二〇歳以上を対象に、科学技術に関する世論調査を行なってきた。

科学技術に対する国民の意識をこれほど長期にわたって調べたデータのある国は、ほかにはない。その意味で、この調査は貴重である(これで何が測れるのかという批判はあるにしても)。その最新の調査結果が発表された。調査項目の中で、科学技術のニュースや話題に関心があるかどうかを尋ねた結果が**図2**である。見てわかるように、調査開始時点の一九七六年では六割以上(六一・三パーセント)の大人が、「関心がある」と答えていた。ところがその後はその割合が低下し、八六年に最低に落ちる。その後、上昇に転じたものの、九八年をピークにまた低下していた。それが、二〇〇七年一一月二九日から一二月九日に実施された今回の調査で、調査開始時とほぼ同じ六一・一パーセントに回復した。

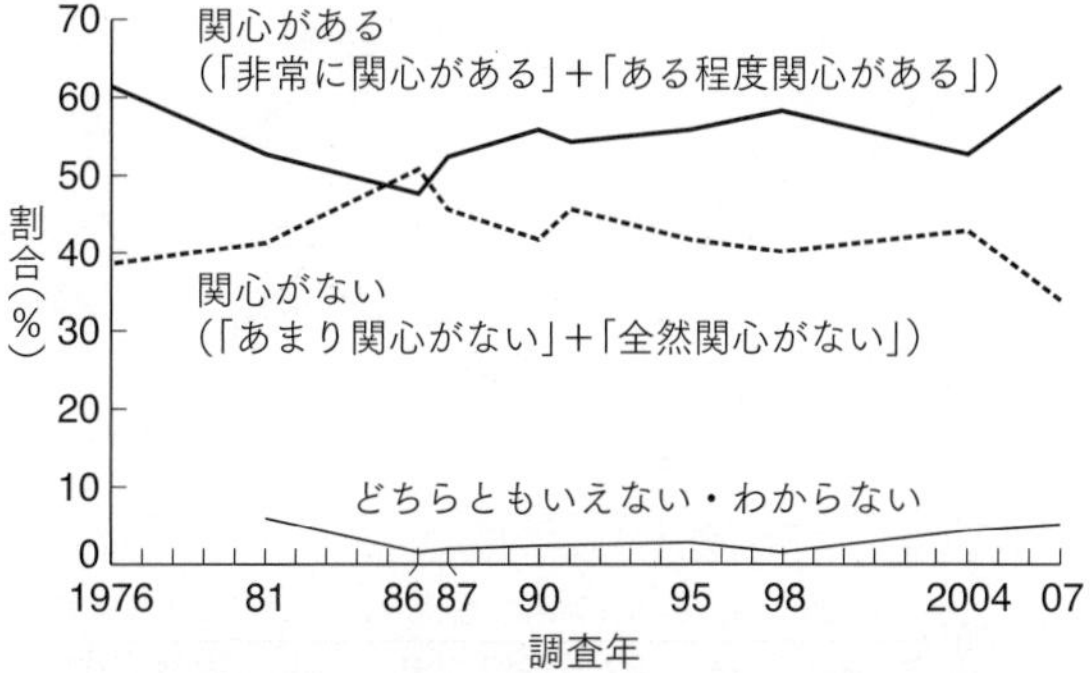

図2　科学技術に関する情報に対する関心度・無関心度の推移
質問「あなたは，科学技術についてのニュースや話題に関心がありますか」に対する回答．調査項目は，1976年調査では，「大いに関心がある」と「少しは関心がある」という選択肢の合計を「関心がある」，「関心がない・わからない」を「関心がない」とした．また，1998年調査では，選択肢「非常に関心がある」と「やや関心がある」の合計を「関心がある」，選択肢「あまり関心はない」と「ほとんど(まったく)関心はない」の合計を「関心がない」とした．総理府世論調査(1976, 1981, 1986, 1987, 1990, 1995, 1998年)および内閣府世論調査(2004, 2007年)より作成

関心度の回復は喜ばしいことである。関係者の努力のかいがあったというものだ。ただ、これほどの急上昇をもたらした原因の分析も重要である。二〇〇四年に実施された前回の調査での関心度低下は、一九九八年の調査以後に日本から三人のノーベル賞受賞者が出たあとだっただけにショックが大きかった。では、今回の結果はどう解釈すればいいのだろう。

すぐに思い当たるのは、二〇〇七年一一月に開始された、例の山中伸弥京都大学教授のヒトiPS細胞に関する大々

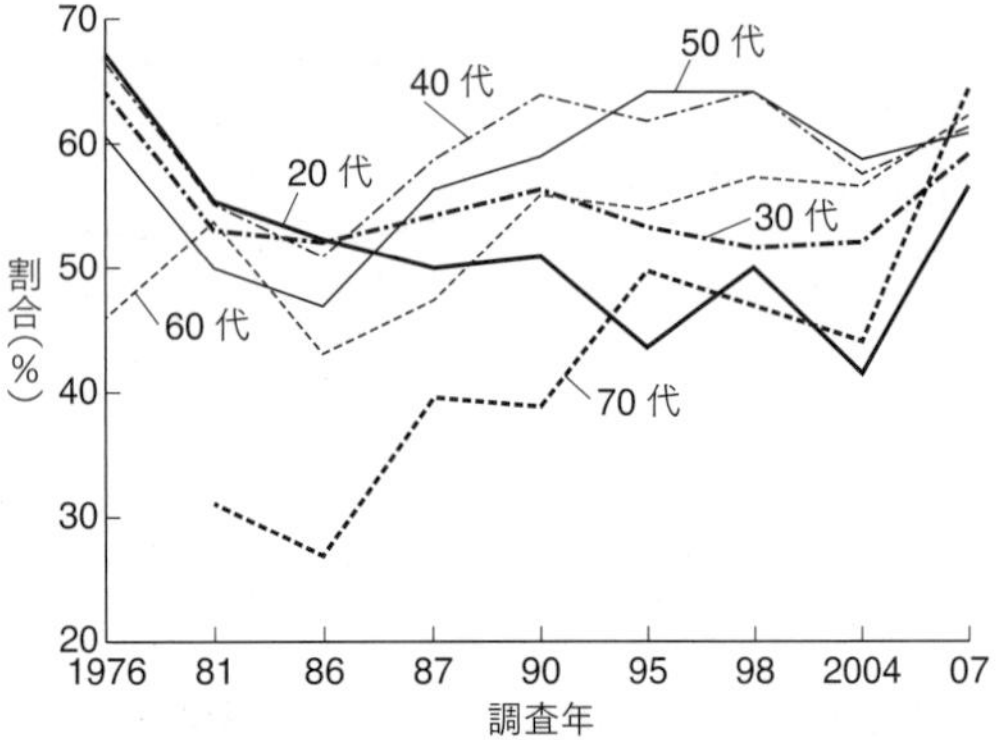

図3　年代別科学技術に関する情報に対する関心度　総理府世論調査(1976, 1981, 1986, 1987, 1990, 1995, 1998年)および内閣府世論調査(2004, 2007年)より作成

的な報道合戦だろう。新聞でも繰り返し記事になり、朝のワイドショーでも取り上げられたほどだから、多数の人の耳目を否応なく引きつけたはずである。したがって、このタイミングで科学技術のニュースや話題に関心があるかと問われれば、多くの人が「関心がある」とすなおに答えたとしても不思議はない。

年代別の関心度を比較すると、二〇歳代と七〇歳代の伸び率がとくに大きいことがわかる(**図3**)。これまで年代別では最低レベルだった両年代の関心度が、七〇歳代は一気にトップに、二〇歳代はほかの年代と同レベルまで躍り出ている。二〇歳代は、テレビや新聞をあまり見ない層であることを考えると、iPS細胞報道の影響とは一概に言い切れないかもしれない。それに対して、放送や新聞をよく視聴する七〇歳代も同じく上昇したのは、再生医療の可能性を大きく広げたiPS細胞に関する報道の影響かもしれない。

メディアの報道はともかく、時代の風潮として科学技術がファッショナブルになりつつあるとしたら、流行に敏感な二〇歳代がそれに反応したというのは考えられることだ。若い層はあまりテレビを見ないという前言と矛盾するが、科学で味つけしたテレビ番組が増えてきたような気もする。以前は「伊東家の食卓」「ためしてガッテン」「発掘！あるある大事典」など、いわゆる「裏技」系の番組が多かったが、最近は「世界一受けたい授業」や「爆笑問題のニッポンの教養」など、お勉強系が増えつつある。いずれもお笑いタレントなどを登場させることで「お勉強風」のイメージを与えないようにしている点が味噌なのだろう。あるいは科学者が活躍するアメリカのテレビドラマ『CSI――科学捜査班』や『CSI――マイアミ』などの人気も高い。

こうした傾向の中でも異色の注目株は、歌手でタレントでおまけにブログの女王でもある「しょこたん」こと中川翔子の、二〇〇七年一〇月から〇九年三月まで放送されたラジオ番組「中川翔子のG《ギザ》サイエンス！」だった。土曜夜の三〇分番組なのだが、毎回、いろいろな大学研究室の大学院生の話を聞くというスタイル。うれしいのは、研究室の先生ではなく学生を主役にしている点である。おまけにこの番組の公式ウェブページには次のようなコメントもあった。

「科学とは、知的好奇心を段階的に解決する人類最高のゲームの一つである。」ルールはサイエンティストたちにゆだねられる。そしてゲームのフィールドもどこでもいいのだ。「はてな」が生まれて、それを解決する道順が自らの脳に生まれるならそれは即ち科学なのだとワシは思う。

「ギザサイエンス研究所の博士」の言葉より

架空の研究所の博士の一人称が「ワシ」というのはいかにも定型的だが、お茶の水博士系のイメージがいかに根強いかという傍証でもある。それはともかく、テレビではいろいろな博士たちがタレントにいじられ、ラジオでは博士の卵たちがアイドルと語り合うという時代になったのである。

科学者やその卵がマスコミや一般の人と接触する機会を少しでも多くすることは、サイエンスコミュニケーションのテーマの一つである。そのような機会が増えることで、科学者とそのほかの人たちが互いにいだきあっている先入観が崩れていく。一八三一年に科学の振興を目的に創立された英国科学振興協会(BA)は、活動テーマの一つとして、できるだけ多くの科学者を市民に会わせるという目標を掲げている。そうすることで、科学を文化の一つとして社会にしっかりと根づかせようというのだ(二〇〇九年に英国科学協会（BSA）と改称し、科学を文化にする活動に、より一層力を入れている）。その際、科学者という人たちが社会に存在し、その活動が見えることが意味をもつ。

件のファインマンも「科学の価値とは何か」と題するエッセイで次のように述べている。

> 科学の価値としてまず第一に考えられるのは、みなさんもご存じのとおり科学の知識のおかげで僕らはいろいろなことをすることができ、さまざまな物を作ることができるということです。（中略）ただし科学的知識は人間によいことも悪いこともできるような力は与えますが、その力をどう使うべきかという注意書きを添えてはくれません。（中略）科学の価値としてもう一つ考えられるのは、知的な喜びです。人によっては科学について読んだり学んだり考えたりすることを楽しむ人もあり、その研究に没頭することにこのうえない喜びを感じる人もあります。（中略）たんなる個人のこの楽しみは、社会全体にとっても価値のあることなのでしょうか？（中略）科学の目的は、人々が楽しめるようなものごとを並べ替えたり整えたりすることだと考えれば、科学の楽しみもまた社会のために大切なものになってくるでしょう。
>
> 大貫昌子・江沢洋訳『ファインマンさんベストエッセイ』岩波書店より

ニセ科学の言説

メディアで科学が語られる機会が増えている一方で、スピリチュアリズムや怪しげな「科学」を売り物にする番組は依然として多い。一部のスピリチュアル・カウンセラーがもてはやされるのは、人びとが自己愛をくすぐられたいからだという精神科医、香山リカの指摘が的を射ているとしたら、それほど心配する必要もないのかもしれない。しかし、テレビで公然とスピリチュアリズムが肯定されるというのは異常である。

全国の一八歳から六九歳までの男女およそ三〇〇〇人を対象として科学技術政策研究所が二〇〇七年に実施したインターネットによる意識調査で、「魂や霊魂がこの世にある」と思うかという質問をしている。その結果は、「ある」と答えたのが四六・二パーセント、「わからない」三一・四パーセント、「ない」二一・四パーセントだった。性別を見ると、「わからない」とする者の割合は、男女ともほぼ三〇パーセントで大差なかったが、「ある」と答えた割合は、男性三八・四パーセント、女性五三・九パーセントで女性のほうが高かった。年代別に見ると、四〇代までは五割が「ある」としているが、五〇代では四一・〇パーセント、六〇代では三一・〇パーセントと低くなっていた。

むろん、霊魂の存在云々は科学の埒外《らちがい》の問題であるが、テレビなどのスピリチュアルブームの影響は無視できない。この質問との関連で興味深いのは、霊魂の存在を信じることが信仰とは無縁なことである。信仰心の有無に関する質問では、信仰や信心について、「もっていない、信じていない、関心がない」という答は七〇・六パーセントで、「もっている、信じている」の一五・一パーセント、「わからない」の一四・三パーセントを大きく上回った。ただし、「宗教的な心」というものを大切だと思うか否かについて聞いたところ、「大切」という答が五二・三パーセント、「わからない」が二六・六パーセント、「大切でない」が一三・七パーセント、「その他」七・四パーセントだった。霊魂の存在は信じるが信仰はもっていない人が多く、しかも、他人の信仰に関しては寛容な態度の持ち主である人が半数以上を占めているようだ。この調査は、日頃からインターネットを利用している人たちが回答者であることにも留意したい。

スピリチュアリズムの流行は、水をめぐる悪しき言説へも波及している。きれいな言葉で話しかけると美しい氷の結晶ができ、汚い言葉だと美しくない氷の結晶ができるという氷の結晶神話「水からの伝言」などはその一端だろう。また、「ピュア」で「清潔」な水への過度の信仰は、怪しげな還元水の跋扈《ばっこ》を許している。日頃から「ピュア」という言葉を好んで口にしていたらしい人気女性歌手は、高齢出産は羊水が腐っているから危ないと発言し顰蹙《ひんしゅく》を買った。あわてて中途半端な謝罪をしたが、誰に謝ったのかも曖昧だし、なぜか、自分の不明を恥じる言葉は聞かれなかった。あるいは、「水からの伝言」を道徳の教材に使用する動きはいまだに根絶されていないようだ。だまされやすいことは責められないが、まちがいを指摘されてもなお正しい知識を学ぼうとしないのはどうしたことだろう。

相関と因果

科学者や科学報道に精通しているはずのジャーナリストのなかにも、タバコが肺癌の原因であることを認めようとしないヘビースモーカーは多い。タバコが肺癌の原因であることは証明されていないというのだ。しかし、疫学的には、その点はすでにクリアーされている。喫煙者が肺癌にかかる率は、非喫煙者よりも有意に高いからだ。問題は、ここでいう因果関係の「証明」である。

一般に物理学などのハードサイエンスでは、因果関係の証明には再現実験が重んじられる。同じ条件での実験を何度繰り返しても、同じ結果が得られるとしたら、因果関係は証明されたことになる。しかし生物を対象としたソフトサイエンスでは、同じ条件を設定しても、必ずしもまったく同じ結果が繰り返されるとは限らない。極端な話、唯一無二の歴史的な出来事である生物の進化に関しては、再現実験など端から不可能である。そういう場合は、証拠を蓄積することで傍証を固めていくことになる。相関と因果性を混同させるというのはニセ科学の常套手段ではあるが、だからといって相関から原因を突き止める科学的手法まで否定されることにはならない。

肺癌患者に関して、タバコを吸っていなかった場合と吸っていた場合の再現実験をして、比較対照するなどということはできるはずもない。そこで疫学的調査という手法が使われる。喫煙率と肺癌発症率の相関を見て原因を帰納的に推理するのだ。これは完全な証明ではないが、予防医学という面では有効な手法となる。

疫学の誕生は、一九世紀半ばにロンドンで発生したコレラの大流行時とされている。コレラの感染源が共同井戸であることを丹念な実地調査で明らかにしたエピソードが、疫学の歴史を語る場合には必ず紹介されることになっている。ロンドンの医師ジョン・スノーが、汚染された空気が原因とされていたコレラ患者の発生場所を地図に記入していくことで共同井戸とコレラの流行との相関を突き止め、両者の因果関係を追いつめていったという逸話である。

ジョン・スノーの努力はただちに実ったわけではない。彼が実践した疫学的調査の手法は、それ以後一世紀以上をかけて磨きをかけられてきた。アメリカでは疫学と感染症対策の専門機関である疾病予防管理センター（CDC）が一九五四年に設立され、精力的な活動を続けている。CDCの活動で注目すべきは、自ら疫学の専門家たる疫学探偵を抱えると同時に、そうした専門家を養成するトレーニングコースを開設し、地方の保健所や病院などの施設に送り出すことで、感染症への即応体制を整えていることである。

じつは、日本にも類似のコースが設置されている。一九九九年に国立感染症研究所内に開設された実地疫学専門家養成コース（FETP）である。川端裕人著の小説『エピデミック』（角川書店）を読むまで、不明にしてぼくはその存在を知らなかった。この物語は、日本初の本格的な疫学小説である。感染症を主人公（?）にした小説はあったが、いわゆる「疫学探偵」を主人公にした小説はなかったからだ。

疫学の基本は、感染症ないし疾病の原因を特定し、その原因を絶つことで病気の拡散を防ぐことにある。その根本的な対策は、手洗いの励行だったり、タバコなどの発癌物質の摂取を控えるなど、往々にしてじつに簡単な心がけが多い。正しい知識さえあれば、病気だけでなく、ニセ科学だって寄せつけない。

自然の神秘や不思議に魅せられる感性はすばらしい。しかし、それとスピリチュアリズムや反科学的、非科学的な潔癖主義や「エコロジー」とは異質なものである。自然に感応する感性と理性が相まってこそ、レイチェル・カーソンの言う「内面的な満足感と、生きていることへの新たなよろこび」が見つけ出せるのではないか。理性が導く科学には、邪悪なものを寄せつけない免疫作用があると、ぼくは信じている。

11　科学者の銅像と偶像

アイドルとしての科学者

アメリカの首都ワシントン。桜の名所としても知られるポトマック河畔の一角に、ちょっとした人気の記念撮影スポットがある。アメリカ科学界の殿堂である米国科学アカデミーの敷地内に鎮座しているアインシュタインのブロンズ像がそれ。単なるブロンズ像ではない。重さ一二トン、高さは三・七メートルもある巨大な彫像なのだ(図1)。

このアインシュタイン、大理石の踏み段に腰を下ろし、左手には紙を手にしている。その紙に書かれているのは、それぞれ、光電効果、一般相対性理論、エネルギーと質量の関係を表す三つの有名な方程式だという。

この像が設置されたのは、アインシュタイン生誕一〇〇周年にあたる一九七九年のことだった。アインシュタインほど、その顔と名前が世に知れ渡っている科学者はいない。したがって、科学アカデミーの一角を占める記念碑としていかにもふさわしい。ところがこの像の建立にあたっては、ちょっとしたもめごとがあったという。

像の建立は、当時の科学アカデミー会長フィリップ・ハンドラー(専門は生化学、栄養学)が、一五〇〇万ドルの建設資金の寄付集めと借り入れから彫刻家ロバート・バークスへの彫像制作依頼まで、すべて独断で行なった。そうした独断専行に対して批判の声が上がったというのだ。ともあれ、アインシュタイン像はなんとか完成にこぎつけた。その後の事情に関して、物理学者のフリーマン・ダイソンは当のハンドラーに尋ねたことがあるという。

図1　米国科学アカデミーの敷地内のアインシュタイン像　撮影：木村政司

それから二年後、ワシントンでたまたまフィリップ・ハンドラーに会った私は、この像をアカデミー会員の反対を押し切って建てた価値はあったと思うか尋ねてみた。ハンドラーは力強くイエスと答え、その理由をこう話した。一九八〇年春の卒業シーズンのこと、オフィスの窓の外では卒業式用の帽子とガウンを身にまとったワシントンの高校生のグループ――大部分は黒人だった――が次から次へとやって来て、アインシュタインの像の前で卒業写真を撮っていた。それを見たハンドラーは、闘いが無駄ではなかったことを知ったという。アカデミーはこの像を建てることによって、手で触れ、誇りに思えるもの、自分たちの財産と言えるものをはじめてワシントンの人々にプレゼントしたのだ。

F・ダイソン著、幾島幸子訳『ガイアの素顔――科学・人類・宇宙をめぐる29章』工作舎より

このアインシュタイン像は、手で触れられるどころか、足の上に乗ることだってできる。隣接した地区にそびえるリンカーン像は、足元から見上げることしかできないのとは対照的である。科学のモニュメントが人気スポットになり、民主主義のモニュメントよりも身近に感じられる結果となっているのだ。

もっともこのような親しみやすさは、アインシュタインなればこそだろう。古今東西の科学者を見渡しても、これほどのキャラクターは見当たらない。日本にも有名な科学者は多くいるが、ワシントンのアインシュタイン像のように、お茶目で親しみやすい印象を与えると同時に偉大な業績を上げた人物は思いつかない。

東京大学本郷キャンパスにはいくつもの銅像があり、銅像散策マップもつくられている。しかし、それらがどういう業績をあげたどういう人物の銅像なのか、今では気にとめる人も少ない。

日本人科学者の銅像としては上野公園の国立科学博物館前に建っている野口英世像が立派である(**図2**)。台座を含めた高さが、なんと四メートル半もある。おまけに野口英世は千円札にまでなった。そういえば、ぼくらの小学生時代は、誰もが野口英世の名を知っていた。伝記を読んだし、少年時代を描いた映画も見たような記憶がある。

だが、千円札になって以降、研究成果の大半は間違いだった、金銭と女性にだらしなかったなどといったスキャンダルが改めて暴露され、英世評価は下降の一途である。とくに、ベストセラーになった福岡伸一著『生物と無生物のあいだ』(講談社現代新書)において、流麗な文体で扱《こ》き下ろされてしまったのは致命傷となりかねない。

図2　国立科学博物館前の野口英世像

ただ、いわゆる野口英世の生涯は、もともと、科学者の業績を語るというよりは、貧乏で身体的ハンディを背負った青年の立志伝として称揚されていた趣がある。しかも、たとえば星新一の『明治の人物誌』(新潮社)

に描かれている英世像は、とてつもない努力の人であると同時に、人間的弱さを抱えつつも、どこか憎めない天才である。

野口英世に関して言えば、成功をつかんだのが政治や金儲けではなくて科学であり、最後はアフリカの伝染病研究に身を投じて自らその犠牲になったという点も美化しやすかったのだろう。いみじくも評論家の斎藤美奈子が喝破しているように、子ども向けの偉人伝には政治的に無色な科学技術者が、もともと多いのだ。

政治もだめ。戦争もだめ、哲学もだめ。事業もだめ。では何が残るのか。さよう、科学と芸術である。大学の学部でいえば、理科系と芸術系。政治的なイデオロギーとは無関係な(と見える)人たちが、伝記の国の主役である。(中略)キュリー夫人、野口英世、エジソン、ファーブル、ライト兄弟、ナイチンゲール、シュバイツァー。これら「いかにも偉人」な人たちは、思えばみんな理系だったのである。

斎藤美奈子『紅一点論——アニメ・特撮・伝記のヒロイン像』筑摩書房より

等身大の科学技術者

考えてみれば、科学者が聖人である必要はない。天才と目されている人物に関してはとくにそうだ。この点で、科学者と芸術家は共通している。アインシュタイン、ホーキング、ファインマン、ピカソ、ダリ、岡本太郎など、たとえ奇矯な振る舞いが伝えられたとしても、大衆は彼らを見捨てたり、けなしたりはしない。天才のすることだからと許してしまう。

一方、それほどの天才ではなくても、大発見や大発明の裏には意外なエピソードが隠されており、それぞれにドラマがある。科学は、本来、人間味ある営為なのだ。たとえば、アレグザンダー・グレアム・ベルによる電話の発明の陰には純愛物語があった。

ベルの父親は、発話の際の言語音を舌と唇の位置関係で図示した視話法という表記法を考案した。さらにその父親、すなわちベルの祖父は発声法も教える俳優で、ジョージ・バーナード・ショーの戯曲『ピグマリオン』に登場するヒギンズ教授のモデルとも目されている人物だという。じつはこの『ピグマリオン』こそ、ミュージカル映画の傑作『マイ・フェア・レディ』の原作である(ただし原作では、ヒギンズ教授と花売り娘のイライザが恋に落ちたりはしない)。それはともかく、ベル自身も、そんな家系の三代目として、聾学校の教師をしていた。そして教え子に恋をしたのだ。

聴覚障害者の発話訓練を通じて、ベルは、発話の際の息づかいは言語音ごとに異なることに着目した。口の前に薄紙を置いて発話すると、紙は微かだが振動する。それを電気信号に変え、受信機の向こうで再び振動に変えれば、話し言葉が電線の向こうにいる人にも伝えられる。ベルとその教え子メイベルとの恋は、当初、メイベルの裕福な両親の反対で前途多難だった。しかし二人は愛を貫いた。ベルは、生活を安定させてメイベルと結ばれたいとの一心から電話の原理の実用化を目指し、それを実現した。

波乱万丈の少年時代を送った科学者もいる。遺伝子の働きを調べるための有力な方法であるノックアウトマウスという特殊なマウスの作製法を開発し、二〇〇七年のノーベル医学・生理学賞を受賞したユタ大学のマリオ・カペッキである。ぼくは、一九九六年に京都賞受賞のために来日したカペッキにインタビューをした。

まず彼の母親が変わっていた。ボヘミアン詩人だった母親は、ドイツ人考古学者を父、アメリカ人の画家を母に、イタリアのフィレンツェで生まれた。そしてフランスのソルボンヌ大学で言語学を学び、六カ国語を話したという。カペッキは、そんな母とイタリア空軍の軍人の父との間に生まれ、三歳まで母親と二人でイタリア・アルプス地方で育った。

ところが戦争が始まると、母親は自由思想を理由にゲシュタポに逮捕されてしまった。独りぼっちになったカペッキは農家に預けられたのだが、そこを一年で追い出されたあとは浮浪児同然の生活を送っていた。その間、アメリカ軍の戦闘機に機銃掃射され、怪我を負ったこともあったとか。戦争が終わり、釈放された母親が息子を探し当てたのは、カペッキ九歳の誕生日のことだったという。再会した母子はアメリカにいる親戚を頼って渡米し、コミューン生活を送ったりした。

　そんな生い立ちの持ち主であるにもかかわらず、カペッキはとても物静かな人である。インタビューの中でいちばん印象的だったのは、「科学で重要なのはタイミング。一人ですべてできるわけではないのだから、ぴったりのタイミングでぴったりの場所に居合わせることが大切なんだ」という言葉だった。

正直ジムの功罪

　同じく、絶妙のタイミングで絶妙な場所にいたことでノーベル賞を手にしたのが、フランシス・クリックとともに一九五三年にDNAの二重らせん構造を解明したジェイムズ・ワトソンである。そのときの経緯を赤裸々に描いた『二重らせん』(江上不二夫・中村桂子訳、講談社)は世界的な大ベストセラーになった。ただし関係者には大ひんしゅく。

　人は誰でも、自分の経歴を美化したいものだ。それは科学者とて同じ。だから、内輪のもめごとやいさかいを開けっぴろげに語られたりしたら、うれしいはずがない。ところがワトソンは、その禁を犯した。『二重らせん』において、研究者間の確執や功名心、焦燥感などをあまりにも「正直」に明かしすぎたからだ。ワトソンが最初に考えていた書名は『正直ジム』だった。ジムとはジェイムズの愛称であり、もちろん自分のことである。しかし草稿を関係者に見せたところ非難ごうごう。しかたなく、書名を変えて出版を強行したという経緯がある。

ワトソンは、飛び級によって一五歳でシカゴ大学に入学し、二二歳で博士号を取得した。野心あふれる生意気な若造は、遺伝物質の本体とおぼしきDNAの構造を解明すればノーベル賞が取れると見定めてヨーロッパに乗りこんだ。そして一九五一年にケンブリッジ大学キャヴェンディッシュ研究所でクリックと出会った。

ケンブリッジ時代のワトソンは、テニスとパーティーが主で、その合間にDNAに関する情報を集めるという生活だった。それでも、ワトソンがそこにいなかったとしたら、DNAの構造解明は確実にもっと遅れていたことだろう。

大成果を挙げて母国アメリカに凱旋したワトソンは、ハーヴァード大学生物学部にポストを得た。行政手腕に長けたワトソンは、ハーヴァードを分子生物学の牙城とすべく、スタッフやカリキュラムの改革を押し進めた。件のカペッキがハーヴァード大学の大学院に進学するにあたっては、「ここに来ない奴は大バカ者だ」というワトソンの一言が効いたという。あるいは、「科学者の定義とは、論文が『ネイチャー』誌に載った者のことだ」という発言も知られている。

その一方で、自然史学系の研究者に対しては辛らつな態度を取ったようだ。社会性昆虫、とくにアリの権威であるE・O・ウィルソンは、分子生物学以外は科学ではないと言わんばかりのワトソンの挑発に応えるべく、数学者と協働し、集団生物学という新しい研究領域を開拓した。数理モデルを軸に生態学と集団遺伝学を融合させた新領域で、その後、生物集団の進化を研究する有力な分野として発展することになった。結果的にこれは、ワトソンの功績と言えなくもない。

その後もワトソンは、あちこちで軋轢を生じながらもカリスマ的な指導力を発揮してきた。ヒトゲノム解析の国際コンソーシアムを形成するにあたって、脅迫的ともとられかねない態度で日本の参加を迫ったのもその一例。また、遺伝子治療、遺伝子改変推進の強硬論者として、自らのゲノム解読を志願し、その結果を公表している。しかしその直後の二〇〇七年一〇月、新著の宣伝のために訪れたロンドンで、黒人は白人よりも遺伝的に知能が劣っているとの発言が大々的に報じられたことで、彼の社会的な名声と地位は完全に瓦解した。ワトソンは、政治的に正しくない発言によって「伝記の国」から追放されたのだ。

科学との出会い

ワトソンの『二重らせん』は、野蛮な本ではあるが、科学という営為の一端を知るための好著である。それは、良くも悪くも、ワトソンというペルソナが色濃く反映された内容なのだ。

かつてぼくは、ジャーナリスティックな視点からの分子生物学史『DNAの謎に挑む

──遺伝子探究の一世紀』(朝日選書)を執筆するにあたり、たくさんの関係資料を読み漁った。その過程で行き当たった最も読み応えのある科学者伝は、フランソワ・ジャコブが自らしたためた半生記『内なる肖像──一生物学者のオデュッセイア』(辻由美訳、みすず書房)だった。

ジャコブは、ワトソンとは対照的に遅れてきた青年だった。一九二〇年生まれのジャコブは、当初は医学を志した。しかし、ナチスの侵攻により、母国フランスを脱出して自由フランス軍の志願兵となった。アフリカ戦線を転戦したあと、ノルマンディー上陸作戦に参加。上陸一週間後に重傷を負い、長い入院生活を余儀なくされる。結局は、それやこれやで医学を断念し、なんとなく細菌遺伝学を志すことにして、パリにあるパスツール研究所の細菌遺伝学者アンドレ・ルウォフの研究室のやっかいになることに。その時点のジャコブは、細菌についても遺伝学についてもまったく何の素養もなく、文字通りのやっかい者だった。

経歴だけを語ったのでは味も素っ気もないが、小説さながらの戦争中の活躍から、戦後の心躍らせる研究生活まで、ジャコブの筆は読むものを飽きさせない。おまけに登場する人物が、ワトソン、クリックはもちろん、レジスタンスの闘志だったルウォフと哲学者肌の僚友ジャック・モノ(ジャコブとこの二人は一九六五年にノーベル賞を同時受賞することになる)など、魅力的な面々がそろっている。こういう自伝を読むと、遠回りの人生もむだではないのかなと思えてくる。

今をときめく進化生物学界の貴公子リチャード・ドーキンスも、動物学目指してまっしぐらだったわけではない。彼がなんとなく生物学に引かれたきっかけはドリトル先生だったという。本の虫だったドーキンスは、自然観察よりも活字の世界に浸ることを好む少年だったようだ。以前、本人にインタビューしたときも、自分は決してナチュラリストではない、動物行動学を専攻したのは偶然だったと語っていた。もともとは哲学が好きで、そこから進化に興味を持ち、動物行動学者のニコ・ティンバーゲンに出会ったことで、自分のやりたいことを見つけたようだ。

ドーキンスにとって、ティンバーゲンとの出会いは、子ども時代の心の師との再会でもあったはずである。なぜなら、現実の世界にドリトル先生がいるとしたら、それはまさにティンバーゲンだったからだ。ティンバーゲンは、ジガバチが自分で地面に掘った巣穴を記憶する方法や、セグロカモメのヒナが親鳥のくちばしの赤い斑点に反応してえさをねだる行動など、ドリトル先生さながらにさまざまな動物行動の仕組みを解読した。

近代的な動物行動学の歴史は、ミミズにピアノやオーボエの音を聞かせて反応を観察したり、動物と人間の感情表現に見られる共通点を探ったダーウィンに始まる。

ダーウィンは悩める科学者だった。親の遺産と自らの資産運用によって裕福だったにもかかわらず、万が一の破産を考えてオーストラリア移住の可能性を探っていた。また、進化理論を公表することで、自分はともかく、子どもたちが社会的に抹殺されることを心配していた。そのこともあり、進化理論の公表には病的なほど用心深かった。殺人の告白にもなぞらえていたほどである。二〇〇八年の春から初夏にかけて、国立科学博物館で「ダーウィン展」が開催された。それは決して偉人伝ではない。等身大のナチュラリスト・ダーウィンを知るための特別展だった。

子どもたちの理科離れ対策として、科学技術者の伝記をもっと読ませろといった類の意見をよく耳にする。だが、今どき、偉人伝的な伝記にそんな力があるとは思えない。むしろ、科学者は何をしたかではなく、何をしているかを伝えるほうが有効だろう。ただし問題は、それを誰がどうやって伝えるかである。少なくとも物言わぬ銅像には、あまり多くを期待できそうにないことは確かだ。アインシュタイン像を別にすれば。

12　科学への愛の言葉

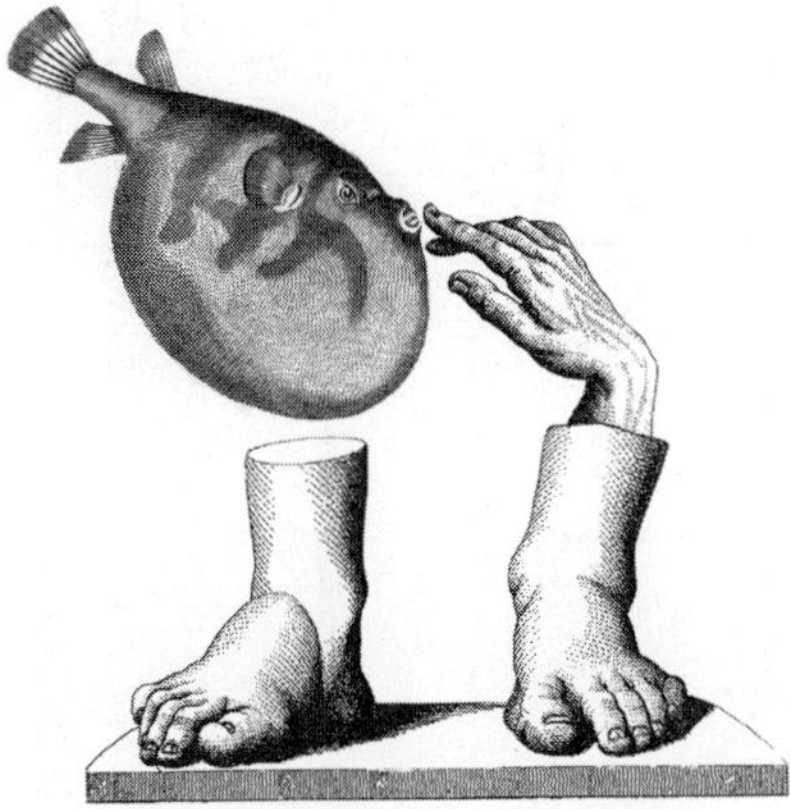

文章読本さん

「日本語は論理的な表現に適さない言語であり、そのせいで日本人は論理的思考が苦手なのだ。したがって日本語は科学論文を書いたり科学を語ることには向いていない」。今でもまだこのような言説を時おり耳にする。しかしほんとうにそうだとしたら、たとえば『科学』という雑誌自体が成り立たなくなる。

斎藤美奈子の『文章読本さん江』(筑摩書房)によれば、日本語は非論理的言語であるという件の「神話」は、谷崎潤一郎の『文章読本』に始まったという。そして三島由紀夫(『文章読本』)と清水幾太郎(『論文の書き方』)が肯定したことで強化された。

それでも論理的な文章を書く必要がある場合にはどうすればいいのか。清水幾太郎の勧めは、短い文章を心がけ、論理構造を明示する接続詞でそれらを結んでいけばよいというものだという。

だけどちょっと待ってほしい。そうすることで論理的な文章になるのなら、日本語だって論理的な表現ができるということではないのか。それでも日本語が非論理的と主張するのは、日本語ではなく、ご当人の頭が非論理的だからなのではと疑いたくなる。

言語学者、井上和子の言は、このあたりのことについてきわめて明瞭である。

「日本語は論理的表現に適さない言語だから、日本人は論理的表現を得意としない」と言われることがよくありますが、これは全く誤解です。そもそも、人間は生れ落ちてから非常に短期間に母語を覚えるという事実があります。この事実は、人間である以上言葉というものが生まれながらに身に付いており、日本語が使われている環境に生まれれば日本語として発現し、英語の環境に生まれれば英語として発現するというふうに考えないと、とても説明することができません。(中略)ですから、英語で論理的な表現ができるのだったら、日本語でできないはずはありません。もし日本人が日本語を使って論理的な表現ができないとしたら、それは日本語の責任ではなくて、私たちが言葉の仕組みについて意識をさせ、言葉の使用について訓練するということをちゃんと行なっていない、その結果であるというふうに思います。

井上和子「学と日本語」科学技術の智プロジェクト第3回企画推進会議での講演より

つまり日本の社会で非論理的な発言や非論理的な文章が多いとしたら、それは論理的に語ったり論理的に書く訓練を受けていないからだというのである。

日本語非論理的言語論が出てくる所以の一つとして、井上は「黄色い花のついたバッグ」という文章を例にあげる。なんでもない文章のように見えるが、じつは二通りの解釈が可能なことがわかるだろう。すなわち黄色いのは「花」なのか、それとも「バッグ」なのかが、この一文だけでは不明なのだ。英語で a bag with a yellow flower あるいは a yellow bag with a flower と書けば、誤解は生じえない。

日本語非論理的言語論者ならば、わが意を得たりとばかり、ほら見ろ、日本語はこんなに曖昧じゃないかと言うことだろう。しかし井上は、日本語にはこのような多義性があることを、早い時期から子どもに教えることで、言葉に対する感性を磨けば問題は解決すると説く。子どもはむしろ、このような言語構造があることをおもしろがり、誤解のない表現を工夫するようになるというのだ。

このような曖昧表現は日本語の語順と関係している。日本語では、修飾すべき語の前(横書きならば左)に、修飾節をどんどん埋めこんでいけるのだが、この例のように、前の修飾節がすぐ後ろの節を修飾するとは限らない場合も出てくる。英語の場合、基本的に修飾語は後ろ、すなわち右の方向に埋めこまれていき、あまり誤解を生じない。この話は、言語学では常識なのだろうが、ぼくにとっては目から鱗だった。例を示すのが手っ取り早いので、やはり井上があげている例を紹介しよう。「研究室」の場所を特定するにあたって、日本語ならばこうなる。

電車通りに面した、門のそばにある、時計台の後ろに見える、建物の二階にある、実験室

それに対して英語は、

the laboratory/on the second floor/of the building/behind the clock tower/besides the gate/facing the tramway

というぐあいに、修飾節が右へ右へと埋めこまれていく。

英語と日本語間の翻訳をする際には、このような構造のちがいをひしひしと実感しているはずなのだが、改めて示されると新鮮な思いがする。日本語では、最後まで読まない(聞かない)と目的地がわからない。したがってこの二つの文だけを見比べただけならば、日本語では論旨を明快に述べられないと言いたくなる。だが、たとえば会話などで、唐突に、

「明日、会ってもらえますか。電車通りに面した、門のそばにある、時計台の後ろに見える、建物の二階にある、実験室で」

などとしゃべる人などふつうはいないだろう。たいていの会話は、

「明日、実験室で会ってもらえますか」
「どこの実験室ですか」
「電車通りに面した、門のそばにある、時計台の後ろに見える、建物の二階にある、実験室です」

というふうに進むものだ。要は、文脈を配慮して論理的に話したり書いたりする訓練ができているかどうかということになる。

科学の文体

『文章読本』を著した小説の大家たちが、こぞって日本語非論理的言語論を掲げたのは、論理的な文章は美しくないとの思いこみがあったのかもしれない。だが、論理的な文章と誤解を生まない文章とはちがう。小説だって、論理的である必要はない、とは言わないだろう。

上で引用した「電車通りに面した、門のそばにある、時計台の後ろに見える、建物の二階にある、実験室」という一文は、誤解を生まない文章ではあるにしても、たしかに美文ではない。誤解は生まないが、無味乾燥な悪文の代表は法律の文章であるといわれる。

その一例として、法人税法にある「同族会社」の定義(第二条の十)を引用しよう。句読点をいっさい使わずに誤解の生じえない定義をしている点に注目してほしい。無味乾燥ではあるにしても、これは一つの感服すべき技である。

会社の株主等(その会社が自己の株式又は出資を有する場合のその会社を除く。)の三人以下並びにこれらと政令で定める特殊の関係のある個人及び法人がその会社の発行済株式又は出資(その会社が有する自己の株式又は出資を除く。)の総数又は総額の百分の五十を超える数又は金額の株式又は出資を有する場合その他政令で定める場合におけるその会社をいう。

口頭で言われたら何のことだかさっぱりわからない。しかし文章で読めば誤解はない。このような技が可能ならば、論理的で潤いのある文章を紡ぐことも可能なはずである。ただし、形容詞を散りばめればいいというわけでもない。理系出身の作家で理系読書家にもファンの多い池澤夏樹は、小説『すばらしい新世界』の中で、自ら作者として登場し、次のように書いている。

作者の専門は原子力工学ではなく言葉である。だからもらったパンフレットの言葉づかいが気になった。「放射線の封じ込め」というわずか百六十字の文章の中で事故の危険性は「固い」、「丈夫な」、「密封」、「がんじょうな」、「気密性のたかい」、「厚い」、「しゃへい」などという言葉によって封じ込められていた。

形容詞が多すぎる文章には用心した方がいい、というのは文章にたずさわる者の心得の一つである。そういう文章には誠意がない。形容詞を乱発するのは何かを隠している時だ。要するにこれは論理的な説明の文章ではなく、広告の文体、いわゆるコピーだった。

『すばらしい新世界』中公文庫より

この文章は、作者が東海村の原子力発電所を見学した際にもらったパンフレットに対する批判である。広告文にも論理的で誠実な文章がないわけではない。しかし、原子力発電所の安全性を説明するパンフレットが、広告文と断ぜられる内容だったというのは情けない。案の定、その後ＪＣＯ臨界事故が起きたと、池澤は指摘する。文章から裏の意図が透けて見えてしまった典型的な例であり怖いことだ。

サイエンスコミュニケーションの促進が謳われた際、まっ先に出た批判は、それは科学技術のプロパガンダ、すなわち広告宣伝にすぎないのではないのかというものだった。サイエンスコミュニケーションの要諦の一つは、科学技術研究および科学技術政策の透明性であり、手前勝手な宣伝とは対極にある。サイエンスコミュニケーションと称する活動や行為が、宣伝と受け取られるとしたら、それは方法にまちがいがあることになる。

それと、科学の楽しさ、おもしろさを語ることが即、科学シンパの宣伝ということにはならないはずである。

科学のベストセラー

では、科学を語る文体としてはいかなるものがふさわしいのだろう。「文は人なり」という名文句を残したことで知られる一八世紀フランスの博物学者ビュフォン(一七〇七〜八八)は、ベストセラー『博物誌』全三六巻の著者として名文家の名をほしいままにした。スティーヴン・ジェイ・グールドは、ビュフォンを博物学の文体を「発明」した人物と呼んでいる。

ビュフォンの文体は、地球上のおよそあらゆる対象を取り上げて縷々論じる中で編み出されたものだという。その代表的な文章としてグールドが引用している一文を紹介しよう。南アメリカの熱帯林で樹上生活をする、あの「ナマケモノ」について論じたものである。

自然は、サルを造るにあたっては熱心に生き生きとことにあたったのに対して、ナマケモノに対しては制約ばかりつけてのんびりと実行したように見受けられる。しかもナマケモノについて語るとなると、怠惰さよりも惨めさに言及しないわけにゆかない。その構造の、欠陥、欠点、欠失について語らざるをえないのだ。門歯も犬歯もなく、毛に隠れた小さな眼、頑丈でやぼったいあご、干し草のように張り付いた毛、……短い脚、ぶざまなぶら下がり方、ぶざまな尻、……別々には動かせない指、二本か三本だけ特別に長い爪……。スローモーさ、まぬけさ、自分の体に対する無頓着さ、そして悲しい習性までが、その奇妙でぞんざいな形態のせいである。攻撃や防御のための武器もなく、身を守ることすらできない。逃げおおせるための手段もない。一生を、ほんの小さな一区画、自分が生まれた木の下で過ごす。広大な地域のまん中に閉じこめられた囚人なのだ。

S・J・グールド著、渡辺政隆訳『マラケシュの贋化石』早川書房より

あまりの言いようではないか。だが、ビュフォンはとてつもない仕事の虫で、毎日少なくとも一四時間は仕事をしたという事実を知ると、怠け者に対する彼の憤懣《ふんまん》も妙に納得できる。それはともかく、ナマケモノなる生きものを紹介するために、マイナスイメージをこれでもかとばかりに並べ立てた文章には、作意が読み取れる。

ビュフォンは、森羅万象のすべてについて多彩な文体を駆使する中で、ときに宗教や人類の起源にまで言及し、数多くの筆禍事件を起こした。しかしそのつど、やはり華麗な文体で謝罪と反撃を使い分け、いつもなんとなく事なきを得た確信犯でもあった。

アカデミー・フランセーズへの入会演説で口にした「文は人なり」という至言自体、ビュフォン一流のパフォーマンスの一環だった。アカデミー・フランセーズは終身制で、会員は四〇名に限られている。つまり、一人抜けるたびに新会員が選ばれる決まりで、しかも入会演説では前任者を讃える慣わしになっている。しかしビュフォンは、尊敬しかねる前任者の某大司教には、暗示的にさらりと触れただけで名前はいっさい出さず、文体に関する演説に終始することで、むしろ歴史に名を残すことになったのだ。

日本にも、寺田寅彦、中谷宇吉郎をはじめ、名文家の誉れ高い科学者は少なくない。たとえば免疫学者、多田富雄の次のような一文はどうだろう。これはノーベル賞を受賞した高名な免疫学者イエルネの伝記に「ニールス・イエルネの聖性と俗性」というタイトルで寄せた序文からの引用である。

バーゼルにはイエルネの崇拝者が数多くいた。どうしてなのか私にはわかる気がした。あの到達できない孤高、間違っているとわかっていても、人を引きつけずにはおかない魔法のような魅力、それを構築する知性、まったく別の視点から見る才能、はるか遠くから物事を眺める目、天上の聖性と俗界の行為の奇妙な混交。（中略）

こんな話を長々と聞いて、私はバーゼルに戻った。バーゼルではまだファスナハト(引用者注＝聖灰水曜日直後の月曜から三日間繰り広げられるカーニバル)の興奮が続いていた。笛と太鼓が、魔法をかけられた集団の上に鳴り響いていた。それを聞くと体中が動いて、踊らされてしまう。それはイェルネという魔術師に会った興奮のため、眠れなくなった私の枕に、いつまでも鳴り響いていた。

T・セデルキスト著、長野敬・太田英彦訳『免疫学の巨人イェルネ』医学書院より

たったこれだけの文章からだけでも、言及されているイェルネという人物のすごさ、カリスマ性が伝わってくる。イェルネという科学者を知らない読者ですら、これから読む伝記の主人公への期待感がいやが上にも高まるというものだ。それと、文章のリズムがどこかしらナマケモノを紹介するビュフォンと似ていなくもない。

多田の序文は、必ずしも親切な紹介文ではない。しかしそれがむしろ功を奏している。科学を語る場合に限らないが、すべてをつまびらかにわかりやすく語るほうがよいとは限らない場合が多々あるものなのだ。理論や研究成果の詳細は別にして、すごい体系に触れたことによる高揚感を味わわせるような語り口もありなのだ。そうでなければ、相対性理論や量子力学、あるいはひも理論などを論じた本があれほど売れる理由がわからない。

ぼくがよく講義や講演で紹介するスライドは、アインシュタインの似顔絵をどんどん

図1　わかりやすければいいのか？　Sidney Harris『Einstein Simplified: Cartoons on Science』Rutgers U. P. より

単純化していくと、誰の顔だかわからなくなるという、アメリカの漫画家シドニー・ハリスの戯画である(図1)。

一般に、科学は難しい、もっとわかりやすく説明してほしいというお定まりの意見がある。しかし、すべての科学が必ずしも難しいとは限らないし、わかりやすく説明すれば必ずわかるというものでもない。むしろ、軟らかく煮すぎたせいで、大切な素材を台無しにしてしまう場合もある。そのあたりの使い分けが、まさに腕の見せ所なのだ。

最近の科学書ベストセラーは、文体面において新たな境地を切り開いた。

摩天楼が林立するマンハッタンは、ニューヨーク市のひとつの区(ボロー)であり、それ自体ひとつの島でもある。西をハドソンリバーが、東をイーストリバーが流れる。

観光船サークルラインは、マンハッタンが、縦に細長い、しかし極度に稠密《ちゅうみつ》的な島であることを実感できる格好の乗り物だ。船は、ハドソンリバー岸を出発点とし南下、自由の女神像を眺望しつつ、かつて世界貿易センタービルが聳《そび》え立っていたマンハッタン南端を回って、イーストリバーに入りこれを北に遡行する。


これは、世界にまだ『地図』がなかったときの、ごく小さな物語である。

私は、そのころすでにニューヨークを離れてボストンに暮らしていた。この街は、アメリカの他のどの都市とも異なった光を発している。

ニューイングランドと呼ばれる東海岸の一帯は、イギリスから清教徒が最初に到達した場所で、時間と落ち着きが静かに流れている。秋には石畳の路地にプラタナスやイタヤカエデの黄色い落ち葉が重なり、それを踏むと乾いた音がする。街の商店には、リンゴを絞ってシナモンを入れたアップル・サイダーの茶色のボトルがならぶ。ブラウンストーンと呼ばれる褐色の石積み建物の間からのぞく空は鈍く低い。まもなく長い冬が訪れる。一日中、気温が零度を上回らない日も多くなる。そんな夜は街路灯や遠くの窓辺の光が、透明なままでに鋭角的に澄んで見える。空気中の水蒸気がすべて氷結して地表に落下してしまうので、光の通り道にそれを散乱するものが何もなくなるのだ。

つい長い引用になってしまったが、これだけを読んで科学書の一節と思う人がはたしてどれだけいるだろう。これは、福岡伸一の『生物と無生物のあいだ』の二つの章の冒頭からの引用である。まるでネオハードボイルド小説の書き出しか、村上春樹のエッセイの一節みたいではないか。

この本がベストセラーになった大きな要因は、このちょっと気取った流麗な文体と、巧みなストーリーテリングの才によるところが大きい。それともう一つ付け加えるなら、分子生物学本流に対する著者なりのアンチテーゼが一般読者の共感を呼んだのだろう。ただし逆にこの点が、同じ分子生物学者仲間や生命科学系の科学ジャーナリストたちから「絶賛の嵐」が巻き起こっていない所以だろう。もちろん、ベストセラー作家になったことに対するやっかみもある。いわゆる「セーガン化」である(第4章参照)。

福岡のこの本が発売された当初、ウェブ書店のカスタマーレビューに、「科学者にしては文章がうまい」という評があったように記憶する。どうやら、科学書は文章がまずいという固定観念が、「科学は難しい」と同じくらい払拭されずに残っているようだ。翻訳書に関してはこの偏見がもっと根強い。科学書の翻訳に対して、「この手の翻訳としては読みやすい」という言い方が最大の誉め言葉としていまだに残っているほどである。

科学を耕す

『文章読本』を著した大作家たちはみな、文章のジャンルに貴賤はないと言いつつも、文学作品を最高位に、実用書や専門書の文章は下位に位置づけてきた。だが、科学書のミリオンセラーが出る時代に、そのような区別はもはや意味をなさない。

ただ、次のような味わいある一文に出会うと、科学を語る文体の奥は深いと思い知らされる。

白石はその説明ではじめて、茫邈《ぼうばく》とした天空に浮かぶ球体である地球というものを実感出来た気がしたのである。

その地球は、いまも思い描けば青黒い宇宙のなかに日の光をうけて静かにうかんでいる。想像の中のその光景は、なぜか白石に思わず微笑したくなるような、たのしい気分をはこんで来るのだが、それが理というものが持つたのしさだということを、白石は理解していた。

藤沢周平『市塵』講談社文庫より

科学の「理」あるいは「智」がもたらす歓びを一人でも多くの人と共感する上で、文章が果たす役割は大きい。そのためには、科学の種をまく土壌をもっともっと豊かなものにしていかなければならない。

サイエンスコミュニケーションはプロパガンダではないと書いたが、科学への関心を失った人たちに振り向いてもらうには、楽しいこと、得することをとにかく知ってもらう努力も必要である。ただしその際、必ずしも無理に科学を好きになってもらう必要はない。あるいは、それを強制しようとしてはいけない。とにかく、関心をもってもらうことが大切なのだ。「なぜなら」と、ぼくは講演の最後に、気恥ずかしさを押し殺して、マザー・テレサの言葉を引用することが多い。

マザー・テレサは、「愛」の反対語は「憎しみ」ではないと語った。愛の反対語は「無関心」なのだと。科学と社会のあり方を考える上でもいちばん恐ろしいのは、科学に対する無関心なのだ。

13　二つの文化をつなぐ

文化を耕す

ベストセラーとなったユヴァル・ノア・ハラリの『サピエンス全史』(柴田裕之訳、河出書房新社)は、これまでの人類史観に大きな否を突き付けた。人類史に一大変革を引き起こしたとされてきた「農業革命は、史上最大の詐欺だった」と言い放ったのだ。

いわく、農業革命を推進したのは人類ではなくむしろ栽培化された作物であり、人類は作物によって家畜化されたというのである。その証拠に、小麦や米、トウモロコシは世界中で栽培され、種族として大繁栄している。われわれはそれら種族の繁栄のために、あくせくと働かされるようになった。農耕により、たしかに単位面積当たりの生産量は増加し、人口は急増した。それによって人類は、種としてその恩恵に浴した。その恩恵を維持すべく、宗教や哲学、科学が考案され、文化が生み出されてきたが、個々人の幸福はいつの間にかないがしろにされるようになったではないかというのである。

英語のカルチャー culture の原義が「耕作」だというのは、その意味で皮肉と言うべきか、正しいと言うべきか。この言葉からはその後、「育てる」という意味が派生し、さらには文化、修養、栽培、培養、作物といった意味をもつようになった。

イギリスの作家で、大学では物理学を修め、政府の要職にも就いたC・P・スノーがこの世には「二つの文化(カルチャー)」があると宣言したのは一九五六年のことだった。文系の教養があるとされる多くの人びとと席を共有する機会の多かったスノーは、そういう人たちが、ことあるごとに科学者の教養のなさを口にすることにうんざりしていた。そこで逆に、「あなたは熱力学の第二法則の何たるかを知っていますか」と尋ねることにした。それに対して大半の御仁は答えられるはずもなく、かといってそれを恥じるでもなかった。古典文学を貴ぶ人たちにとって、物理学のイロハなど、知る必要もないことだったのだ。かくしてスノーは、この世には文科と理科という二つの文化があり、相互のコミュニケーションは成り立っていないと慨嘆したのである。

それと関連する愉快なエピソードがある。プリンストン大学の生物学者で細胞性粘菌の研究に先鞭をつけたジョン・ボナーは、その著書『動物は文化をもつか』(八杉貞雄訳、岩波書店)で、ハーヴァード大学の学生時代、細菌や粘菌の培養液を作っていた部屋のガラスドアにはCULTUREと大書きされていたというのだ。

一般には、「カルチャールーム」という表札を見たなら、市民講座の会場などを思い浮かべる人のほうが多いことだろう。そもそも字義的にも二つのカルチャーが存在していたわけである。

伝統的に諧謔的なユーモアを醸し出してきたイギリスでは、二つの意味を逆手にとった「カルチャー・コンペティション」なるものが企画されたことがある。二〇〇三年に英国王立化学会が、アレクサンダー・フレミングによるペニシリン発見七五周年を記念して、研究室に放置されたままアオカビが生えてしまったマグカップの写真を大々的に募集し、ウェブページで公開したのだ。そのページは残念ながらすでに削除されているが、さぞやたくさんの応募があったものと察せられる。

醸す文化となれば、発酵食品をめぐる伝統的な食文化も気になるところだろう。それは今や、発酵の科学から食品科学、栄養学、医学の研究テーマとしても注目されている。そして、ポップカルチャーの分野でも花開くことになった。石川雅之のベストセラー漫画『もやしもん』(講談社)である。連載をまとめた単行本は全一三巻で、累計発行部数は八〇〇万部を超えていると聞く。さらにはそのスピンオフ企画も、アニメ、実写ドラマ、ゲーム、酒、企画展示会などなど、多岐に及んでいる。

漫画『もやしもん』の魅力は、ナンセンスな設定と科学的情報の絶妙な取り合わせにある。特に欄外の脚注で提供されている菌類に関するトリビア情報からは、愉快に読みながら微生物学の科学リテラシーが自然に身につく。そしてここで注目すべきは、漫画の読者層が、新聞や雑誌の食品や健康記事などとは縁のなさそうな若い層によって占められていることだ。科学技術に関する意識調査などによれば、この年齢層は、科学ニュースへの関心がいちばん薄い層でもある。しかし、素材がおもしろいとなれば飛びつく

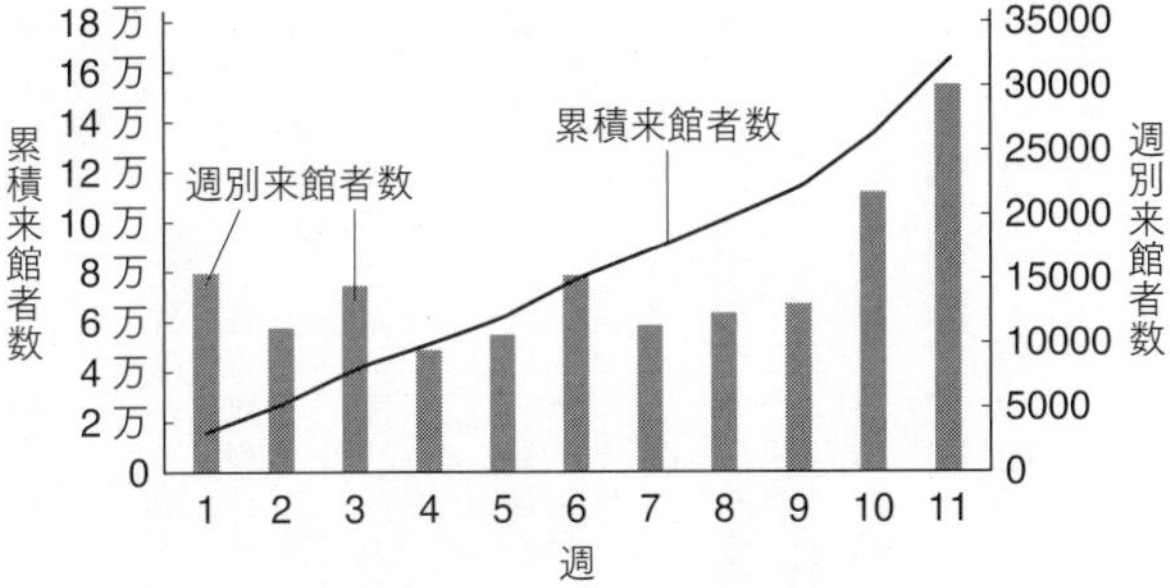

図1　菌類のふしぎ展来館者動向　Watanabe and Hosoya, 2016 より改変

層でもある。

そこに目を付けたのが、二〇〇八年一〇月から翌年の一月まで国立科学博物館で開催された特別展「菌類のふしぎ——きのことカビと仲間たち」だった。同展を企画した菌類学者の細矢剛が、菌類という、かなりマイナーな存在をアピールするために、漫画『もやしもん』とのコラボを画策したのだ。

その特別展の会場には、菌類の紹介展示にあわせて、コウジカビ菌やアオカビの胞子など、もやしもんのキャラクターがそこここにちりばめられ、にぎやかで楽しい雰囲気を醸し出していた。そしてこの特別展では、従来の特別展とは異なる来館者の動向が見られた。会期の終わりが近づくにつれ、来館者の数が、それまでの週の二〜三倍に増加したのだ(図1)。しかも属性のデータを参照したところ、来館者の八二パーセント以上が大人だったという。それに対して従来の来館者動向は、開幕当初が多く、中だるみの後に、閉幕間際に駆け込み来館者で回復するというものだ。属性に関しては子ども連れの家族が多いという特徴がある。

このように異例な来館者パターンが生じたことには理由があった。『もやしもん』の作者である石川が開催中に会場を訪れ、展示パネルの裏などにもやしもんキャラクターの「落書き」を残し、「後半もらくがきします」「追加のらくがき、いくつ見つかりました？」などと書き残したのである。それがＳＮＳで拡散され、会期後半に来館者が急増したらしい。このようなしかけが功を奏し、ふだんは科学博物館に足を運ばない層の動員に成功したというわけなのだ。

漫画『もやしもん』は、これ以外の点でもいくつかの社会現象をもたらしたと思われる。発酵食品ブームの一翼を担ったし、若い世代に菌類に関する興味を喚起した。たとえば筑波大学の菌学研究室に所属する学生にインタビューしたところ、全員が『もやしもん』を読んで菌類研究に目覚めたと語った。

従来から、科学の学習漫画は存在する。しかし『もやしもん』はその手の漫画ではなく、一般商業誌に連載されたエンターテイメントである。ウェブ版WIREDに掲載されたインタビューで、作者の石川は、『もやしもん』を企画した動機について次のように答えている。

たとえば自分の大好きなものを描いたとしても、多分おもしろくないと思うんですよ。知っていることを描いているだけですからね。それより自分の知らないことを知って、「面白いことを見つけてしまいました」ってみんなに見てもらう方が、自分も楽しいのではないかと。だからマンガ家として、嫌いなことばかりやろうと思っているんです。ということで、細菌を(中略)やっているわけです。

「FERMENT MEDIA RESEARCH Vol. 4『もやしもん』はなにを可視化したのか」より

もともと菌類に興味があったわけではなく、発酵学をテーマにした群像劇を描くことにして、菌類に関する情報を集め、自分が面白いと思ったことをストーリーに盛り込んだというのである。科学をテーマにしたのではなく、描きたいテーマを活かすために科学の素材を活用したのだ。これぞまさに二つの文化の融合であり、サイエンスコミュニケーションが推す「科学で遊ぶ」精神の面目躍如だろう。

近年の傾向として、このように、教育目的ではなく、科学というネタからインスピレーションを得た漫画が多く登場している。たとえば、二〇〇八年から連載が開始された小山宙哉の『宇宙兄弟』(講談社)もその一つ。これは宇宙飛行士を目指した兄弟の物語だが、数々の障害を、持ち前の知識と臨機応変さを駆使して解決していく主人公の姿は、科学リテラシーのテキストかと思わせるほどの内容である。

あるいは、今話題の、清水茜の『はたらく細胞』(講談社)も、学習漫画とは一味も二味も異なる科学漫画である。免疫細胞や血液細胞、細菌などを人物のキャラクターとして設定し、その働きを劇画タッチで見せるというしかけである。

もちろん、これらの作品には教育的な効果もある。しかしここで強調したいのは、作者が科学的な知識を仕入れて、それをアートとして昇華させていることである。まさに科学をポップカルチャーに移し変えているのだ。

自然の造形に魅せられて

ロンドンの高級なフラットが立ち並ぶケンジントン街。その南の街区に、ロマネスク調石造りの威風堂々とした美しい建物がある。一八八一年四月にオープンした大英自然史博物館である。オープンして間もなく、近所に住む可憐な少女が、スケッチブックを手にその展示室に足しげく通うようになった。少女の名はヘレン・ビアトリクス・ポター(一八六六〜一九四三)。あのピーター・ラビットの生みの親である。

ポター家は裕福な家庭で、ビアトリクスが一二歳のとき、絵の好きな娘のために絵の家庭教師があてがわれた。一家は、夏をスコットランドの田園地帯や湖水地方で過ごすのが慣わしだったこともあり、都会生まれの少女は、好奇心あふれるナチュラリストに育った。そして、鳥や昆虫、植物、化石などの水彩画を好んで描くようになった。もちろんウサギやアヒルの絵も。

二〇歳になったビアトリクスは、「森の妖精」にとりつかれた。形の妙と色彩の綾、存在のはかなさが不思議さを醸し出すキノコに魅了されたのだ。

弟の顕微鏡でキノコを観察していたビアトリクスは、胞子から菌糸が伸びる様子に興味をもち、実験にも手を染めた。エノキダケでの新発見を論文にまとめるよう励ましたのは、著名な化学者だった叔父ヘンリー・ロスコー(一八三三〜一九一五)である。

その成果を論文にまとめてロンドンのリンネ学会に提出したのだが、嘆かわしい障壁に阻まれることになった。一八九七年に会合で代読されたものの、印刷に付されることはなかった。当時の学問の世界はまだ女人禁制だったのであるからという説もあるが、リンネ学会はそれを否定している。論文タイトルは「ハラタケ亜目」と謳っているが、エノキダケ一種の事例しか扱っていないことから、いったん取り下げになり、そのまま再投稿されなかったようだ。

それ以後ポターは、アカデミズムとは一線を画しつつ菌類や地衣類の研究を続けるかたわら、動物絵本の名作を世に送り出すことになった。「ピーター・ラビット」の私家版(白黒印刷)が制作されたのは一九〇一年、出版社からカラー印刷で公刊されたのはその翌年のことだった。

やはりイギリス人の作家で、007シリーズで有名なイアン・フレミング(一九〇八〜

六四)の趣味はバードウォッチングだった。

ピーター・ラビットの牧歌的な世界とは対極的な007シリーズの主人公であるジェームズ・ボンドは、一九五三年に発表された『007/カジノ・ロワイヤル』(翻訳は一九六三年、東京創元社)で初登場し、六二年に第六作の『007/ドクター・ノオ』が映画化されたことで一気にビッグネームとなった(小説は一九五八年刊、翻訳は一九五九年、早川書房)。

意外なことに、これには実在のモデルがいる。いや、スパイではない。鳥類学者で『フィールドガイド 西インド諸島の鳥類』(一九三六)の著者として知られるジェームズ・ボンド(一九〇〇~八九)である。フィラデルフィア生まれだがケンブリッジ大学を卒業し、銀行員を経てフィラデルフィア自然科学アカデミーの研究員となった。右記のガイドブックは、バードウォッチャーの古典的なバイブルとして今も版を重ねている。

『ドクター・ノオ』では、ボンドが実際に鳥類学者を装い、ジャマイカ島沖の孤島に潜入するという設定となっている。野鳥観察では双眼鏡をぶら下げておおっぴらにあちこち覗けるので、スパイにとってバードウォッチングは格好の隠れ蓑となる。そういえばケン・フォレットのスパイ小説『針の眼』(早川書房)でも、ドイツのスパイがバードウォッチャーを装っていた。じつはフレミング自身、ジャマイカに別荘を所有していたことから、件のガイドブックを座右の書としていたといわれている。かくして鳥類学者とスパイアクションという異質なカルチャーの出会いとなったわけである。

最近、巷では女性のあいだでキノコやコケが静かなブームだと聞く。その独特のフォルムや不思議な生命力にひかれるようだ。そのほか刀剣女子や鉄女など、かつては男性愛好者で占められていた技術系のアイテムに興味を持つ女性も増えている。そうした新たなカルチャーの醸成にサイエンスもからんでいることがなんともうれしい。しかも、ハイカルチャーの教養などという敷居なしに、役に立たない知識、無用の用を愉しむ精神がうれしいではないか。

目隠しの有効活用

無用の用を考える上で愉快なエピソードに出くわした。

名古屋駅前に建つ有名予備校のビルをめぐる「張りぼて」疑惑が話題になったのは新元号に替わってほどなくのことだった。隣のビルが取り壊されたことで、屋上に鉄骨を組んで三階分の外壁を通りに面した側だけ水増しし、そこに予備校名を大きく掲げていたことが露になってしまったというのだ。ＳＮＳでは、これぞまさに名古屋流の見え張りだとか、背後にあるライバル予備校を新幹線から見えなくするための嫌がらせだといった意見がかまびすしく飛び交った。

さっそくテレビのモーニングショーがこの話題に飛びつき、現地ルポと当事者への取材、建築専門家のコメントを報じていた。結論としては、問題の外壁付き鉄骨は屋上の空調設備などの目隠し用で、ビル建築ではよく使われる手段だというものだった。三階分の構造を模した外壁は違和感をなくすためのもので、大きな広告塔を建てているビルも多いという。つまり今回の騒動の真相は、武骨な設備の目隠しとして必要な構造の有効活用だったということになる。

この話を聞いて思い出したのは、第6章でも紹介したヴェネチアにある聖マルコ大聖堂のドーム状の天井を支えるアーチ構造に存在するスパンドレルである。もともとそれは、力学的な必要を満たすための構造なのだが、逆三角形状をしたその表面に後に聖人などの絵が描かれることで、建物の荘厳さを醸し出すことになった。つまりそこに描かれた壁画は、たまたま利用可能な空間を借用した副産物にすぎなかったのである。

進化生物学者、サイエンスライターとして一家をなしたスティーヴン・ジェイ・グールドは、このスパンドレルを例に、進化の新たな用語を提案した。

自然淘汰による適応進化の説明は、往々にして目的論との非難を浴びてきた。現行の適応の妙はいかにして進化したかを説明するために、たとえばキリンが長い頸《くび》を進化させたのは高い枝の先の葉を食べるためだったといえば、たしかにそれは目的論である。しかし、偶然の変異に自然淘汰が作用するのが進化の仕組みである。目指す目標が最初に設定されるはずもない。キリンの頸は少しずつ長くなったのだとしたら、それはその途中でも適応的な形質だったのだろう。

これは、現時点での有用性に囚われすぎると、そもそもの起源という歴史的な経緯に関する原因と結果を取り違えることになりかねないという教訓となる。

そこでグールドは、「外適応」という用語を提唱した。現行とは異なる適応的な理由で出現し、後に転用された特徴、あるいは適応的な機能なしに出現したものが有用なことに流用された特徴を「外適応」と呼ぼうというのだ。

じつは、この提案の背景には、「前適応」という、今ではほとんど死語となった用語がある。いささか遠回りになるが、その背景を紹介しよう。

始祖鳥異聞

恐竜はなぜわれわれを魅了するのか。それは、考えられないほど巨大で凶暴で、しかももう存在しないせいで想像力を否応なく駆り立てるからだ、という説明を聞いたことがある。たしかに腑に落ちる意見だ。しかしこれは一面的な見方でしかない。なぜなら小型の恐竜もいたし、凶暴ではない草食恐竜もいたからだ。そしてなにより、恐竜は絶滅してなんかいないではないか！

恐竜は絶滅していないとする理由は、庭の小鳥たちも含めて、鳥は恐竜そのものだという説があるからだ。これはちょうど、ぼくが学生だった頃、七〇年代から八〇年代にかけて起こったパラダイム転換だった。鳥類は恐竜の直接の子孫であり、それまでは爬虫綱に入れられていた恐竜類と鳥綱をまとめて恐竜綱とすべしという過激な意見まで出た。

そもそもの発端は、アメリカ、イェール大学教授ジョン・オストロム(一九二八〜二〇〇五)が一九六四年に発見したデイノニクスだった。二足歩行の小型恐竜デイノニクスは、すばやく走り回って獲物に跳びかかり、後足の鋭い大きな鉤爪でしとめていたと推測された。後に、映画『ジュラシック・パーク』に登場するヴェロキラプトルのモデルになった恐竜である。しかし、冷血動物(変温)である恐竜に、そのようなすばやい動きが可能だろうか。オストロムの主張は、デイノニクスは温血(恒温)動物だったというものだった。そしてその骨格が始祖鳥のそれとよく似ていることにも思い至った。

それまで、始祖鳥さらには鳥類は、恐竜との共通祖先から分かれて進化したと考えられていた。そう考えないと、恐竜にはない、叉骨や羽毛という鳥類特有の特徴についての説明がつかないからだ。しかし、デイノニクスが温血だったとすれば、デイノニクスにも羽毛があった可能性が浮上する(事実、後にそれが化石で実証された)。ダウンジャケットを着て実感するように、羽毛は体温を維持するための格好の保温装置として機能するからである。

それにしても、鳥はなぜ飛べるようになったのか。決定的だったのは羽毛の獲得だったと考えられている。翼竜とコウモリは、前肢と胴体のあいだに発達させた皮膜の翼(翼膜)で飛ぶが(ただしつい最近、恐竜なのに翼膜をもつ化石が中国で発見されてはいる!)、鳥は羽の生えた翼で飛ぶ。つまり始めに羽毛ありきであり、かつての進化学の用語ではこれを、飛翔のための「前適応」と呼んでいた。

しかしこの「前適応」という概念には、目的論的な意味合いが付きまとう。生存繁殖に有利な新しい形質の進化は、ランダムな変異の出現と自然淘汰による選抜という無目的な過程だというのが、ダーウィニズムの真骨頂だったのではないのか。なので、たまたま出現した羽毛が自然淘汰によって保存されるには、それ自体に淘汰上の利便性がなければならなかったはずなのである。そうでなければ、まだ飛べなかった原始鳥類の羽毛は、将来を見越した先行投資にすぎず、自然淘汰のふるいにはかかりようがない。これは、鳥類における飛翔の起源を考える上での難問だった。

ところが、鳥類の直接の祖先に近いデイノニクスには羽毛があり(羽毛は鱗から進化したと考えられている)、それは体内でエネルギーを燃やして生み出した体温を保持するための適応だったとなれば、羽毛出現にまつわる目的論的説明は必要ないことになる。

これで一件落着と思いきや、さらなる難問が待ち構えていた。小型二足走行恐竜の羽が生えた腕が翼に変わるにあたってはどういう段階を踏んだのだろう。腕に生えた中途半端に長い羽は、かえってじゃまだったのではないのか。中途半端な「翼」はいったい何の役に立っていたのか。そうした議論の中で、突如、始祖鳥ははたして飛べたのかという論争が勃発した。そして、飛べなかったとしたら、あの翼は何の役に立っていたのか。昆虫をはたき落とすハエたたきとして使っていたのではないか、滑空くらいはできたのではないかなどの議論が交わされることになった。

鳥類恐竜起源説に思い至ったオストロムは始祖鳥化石を調べるためにヨーロッパの自然史博物館を訪れることにした。始祖鳥といえば、ドイツバイエルン地方ゾルンホーフエンの石切り場から一九世紀後半に相次いで見つかった二つの化石が有名である。一つはロンドンの大英自然史博物館、もう一つはドイツのベルリン自然史博物館が所蔵する標本である。一九七〇年、オランダのアムステルダムの西、ハールレムにあるテイラース博物館を訪れたオストロムは、そこで大発見をする。一八五五年に見つかり、翼竜の腕の骨とされていた化石に羽毛の痕跡を認めたのだ。オストロムは始祖鳥の化石を発見したのである。それも、石切り場ではなく博物館の収蔵棚で！

始祖鳥と恐竜の比較研究をまとめて一九七三年に鳥類恐竜起源説を勇躍世に問うたオストロムだったが、鳥類学者からも恐竜学者からも冷笑を浴びせられる結果となった。その汚名がほぼ完全に晴らされたのは、鳥類の起源よりも先に羽毛をもつ恐竜がいたことを示す化石が中国で発見された二〇〇一年のことだった。そのとき齢七三歳だったオストロムは、「それは七三年から私が言っていたことじゃないか。始祖鳥を見てみろと」

と語ったという。アルコール依存症でアルツハイマー病も発症していた彼は、その四年後に世を去った。「劇的《ファンタスティック》な人生だったね」という言葉を残して。

鳥の羽毛は、飛翔のための前適応として出現したのではない。温血恐竜の保温装置という適応形質として進化したのだ。オストロムの孤軍奮闘を経て明かされたこの事実により、羽毛に冠されていた「前適応」という称号は無効となった。そもそも「前適応」という概念は、現在の機能をそれが出現した理由として読み替えるという、過去の歴史を推定する際の過誤に発していたともいえる。

しかし、「前適応」は、不適切ではあるにしても使い勝手のよい用語だった。ただし使用する場合には、「これは目的論的な意味ではなく」ということわりを入れる必要があった。ならば、現在とは異なる機能をもって出現した器官が別の機能に転用された形質をさす用語を新たに造ってしまえばいいじゃないか。これが、スティーヴン・ジェイ・グールドが、僚友のエリザベス・ヴルバと共に、「前適応」に代わる用語として「外適応」なる称号を提案した理由だった。

応用問題

恐竜の鱗から進化した羽毛には、体温を保つという機能があった。羽毛を獲得した恐竜のうち、小型のものから滑空ができる種類が出現し、やがて羽ばたいて飛べるようになったのだろう。つまり飛翔用の羽は、保温装置からの転用ということになる。ビルの屋上建造物の例でいえば、空調設備の目隠しが保温装置としての羽毛であり、そこに取り付けた化粧板ないし看板が飛翔用の風切り羽ということになる。

生物の進化については、要所要所で突飛な変化が起きてきたかのような印象があるかもしれない。しかしじつはこのように、すでにあるものを改変して流用するというのが定番に近いのだ。ノーベル賞受賞者であるフランスの分子生物学者フランソワ・ジャコブはこれを、進化のブリコラージュ（器用仕事）と呼んだ。もともとこれは、周知のように構造人類学者クロード・レヴィ＝ストロースの造語の転用である。

ぼくはかつて、人体の進化におけるブリコラージュの例として睾丸を引き合いに出したことがある（『ダーウィンの夢』光文社新書）。そしてそこで、村上春樹の『1Q84』の主人公である川奈天吾と、彼と逢瀬を重ねる人妻、安田恭子とのベッドでの会話を引用した。

「どうしてそんなに古いジャズに詳しいの？」と天吾はあるとき尋ねた。
「私にはあなたの知らない過去がたくさんあるの。誰にも作り替えようのない過去がね」、そして天吾の睾丸を手のひらで優しく撫でた。
『1Q84 BOOK2』（新潮社）より

哺乳類であるヒトは、魚から進化した。そのため、両者のあいだには多くの共通する特徴が見つかる。では、一般には精巣と呼ばれるヒトの睾丸にあたる魚の器官はどこにあるのか。

魚の精巣は体のほぼ中心部に位置している。いわゆるあの白子が精巣である。精子は熱に弱いが、魚は冷血(変温)動物なので平気である。しかし、脊椎動物が上陸し、温血(恒温)動物になる時点で、精巣を体内に留め置くわけにはいかなくなった。哺乳類の精巣(睾丸)は、基本的に体外に位置している。

ヒトの胎児の発生を観察すると、成長に伴い、精巣の位置が移動していることが確認できる。発生開始後間もない胎児では体内に位置しているのだが、発生が進むにしたがって下降し、最終的に骨盤を通り抜けて体外へと出るのだ。ところが睾丸から精子を運ぶ精管は、精巣の下降経路を逆にたどるように上方へと伸び、骨盤と膀胱をぐるりと回りこんで再び下降し、前立腺へとつながっている。最短経路ではなく、なんともまだるっこい作りである。これがまさに、ブリコラージュのなせる業なのだ。

なので自然の造作は必ずしも最適でも完璧でもない。可能性としては、他の構造のあり様もあったなかで、たまたま実現し存続したものにすぎないのだ。

その一つとして、ヒトの睾丸が体外にあるのは、精子の温度調節のための苦心の作

（苦肉の策？）であり、天吾の睾丸が愛撫の道具に転用されているのは、これぞまさに外適応なのだ⁉

だからどうしたという声も聞こえそうだ。おっしゃる通り。小説を読んで、一人で勝手に悦に入っているだけである。でも、文芸作品やアート作品を自分なりのしかたで愉しむのは勝手である。

安田恭子の言ではないが、この世に存在するものにはみな、偶然にしろ必然にしろ、それぞれ歴史的な経緯、過去がある。一見張りぼてに見える予備校の屋上看板にも、存在するに至ったそれなりの理由があったのだ。

われわれはともすれば結果から原因を探りがちである。しかし、即断は禁物。歴史の偶然による転用が起こり、無用だったものが有用なものに姿を変えていないとも限らないではないか。そのことで、今は亡きグールドはその最後の大著『進化理論の構造』において、ニーチェの『道徳の系譜学』（光文社ほか）を引き合いに出している。

ニーチェは、歴史学の方法では、歴史的起源と現行の有用性との区別ほど重要なことはないと強調しているという。刑罰の起源とその目的は別々の問題であり、分けて考えなければならないと論じ、「あるものの起源ないし出現と、その後に生じた有用性、目的とする体系への実際の適用と組み込まれ方とは、天と地ほどの違いがある。何らかのかたちで出現してそこに存在するものは、絶えず解釈し直され、新たに問い直され、新たな用途のために変換され方向を変えられる」と主張しているのだ。

生物進化の過程は、原則として実験的な実証実験ができない。実はダーウィンの『種の起源』は、歴史的な事象を科学的に研究する歴史科学の方法論を提唱した書でもあったのである。つまり、ダーウィンとニーチェという偉大な先人が、とっくの昔に二つの文化を架橋していたというわけなのだ。温故知新とはかくのごとし。

主な参考文献

・鈴木牧之編撰、京山人百樹刪定、岡田武松校訂『北越雪譜』岩波文庫（一九三六）
・寺田寅彦『寺田寅彦全随筆』岩波書店（一九九二）
・寺田寅彦『柿の種』岩波文庫（一九九六）
・池内了編『雪は天からの手紙――中谷宇吉郎エッセイ集』岩波少年文庫（二〇〇二）
・小宮豊隆編『寺田寅彦随筆集』岩波文庫（一九四八）
・中谷宇吉郎『雪』岩波文庫（一九九四）
・樋口敬二編『中谷宇吉郎随筆集』岩波文庫（一九八八）
・福岡伸一『生物と無生物のあいだ』講談社現代新書（二〇〇七）
・渡辺政隆著、下谷二助絵『シーラカンスの打ちあけ話――生きものたちの生態と進化』廣済堂出版（二〇〇二）
・渡辺政隆『DNAの謎に挑む――遺伝子探究の一世紀』朝日選書（一九九八）
・渡辺政隆『ダーウィンの遺産――進化学者の系譜』岩波書店（二〇一五）
・渡辺政隆『ダーウィンの夢』光文社新書（二〇一〇）
・B・アルバーツ、S・P・マーシャル他編、渡辺政隆監訳、野中香方子訳『科学力のためにできること――科学教育の危機を救ったレオン・レーダーマン』近代科学社（二〇〇八）

- R・カーソン著、青樹簗一訳『沈黙の春――生と死の妙薬』新潮文庫(一九七四)
- R・カーソン著、上遠恵子訳『センス・オブ・ワンダー』新潮社(一九九六)
- ガリレオ・ガリレイ著、青木靖三訳『天文対話』岩波文庫(上一九五九、下一九六一)
- S・J・グールド著、渡辺政隆訳『マラケシュの贋化石――進化論の回廊をさまよう科学者たち』早川書房(二〇〇五)
- S・J・グールド著、渡辺政隆訳『ワンダフル・ライフ――バージェス頁岩と生物進化の物語』早川書房(一九九三)
- S・J・グールド著、櫻町翠軒訳『パンダの親指――進化論再考』早川書房(一九八六)
- F・ジャコブ著、辻由美訳『内なる肖像――一生物学者のオデュッセイア』みすず書房(一九八九)
- H・シュテュンプケ著、日高敏隆・羽田節子訳『鼻行類――新しく発見された哺乳類の構造と生活』平凡社(一九九九)
- C・P・スノー著、松井巻之助訳『二つの文化と科学革命』みすず書房(一九六〇)
- C・セーガン著、長野敬訳『エデンの恐竜――知能の源流をたずねて』秀潤社(一九七八)
- C・セーガン著、木村繁訳『コスモス』朝日文庫(一九八四)
- C・ダーウィン著、渡辺政隆訳『種の起源』光文社古典新訳文庫(二〇〇九)
- C・ダーウィン著、八杉龍一訳『種の起原』岩波文庫(一九九〇)
- F・ダイソン著、幾島幸子訳『ガイアの素顔――科学・人類・宇宙をめぐる29章』工作舎(二〇〇五)

- A・デズモンド、J・ムーア共著、渡辺政隆訳『ダーウィン——世界を変えたナチュラリストの生涯』工作舎(一九九九)
- R・ドーキンス著、日高敏隆他訳『生物=生存機械論——利己主義と利他主義の生物学』紀伊國屋書店(一九八〇)
- R・ドーキンス著、日高敏隆他訳『利己的な遺伝子』紀伊國屋書店(一九九一)
- R・ドーキンス著、福岡伸一訳『虹の解体——いかにして科学は驚異への扉を開いたか』早川書房(二〇〇一)
- Y・N・ハラリ著、柴田裕之訳『サピエンス全史——文明の構造と人類の幸福』河出書房新社(二〇一六)
- R・P・ファインマン著、大貫昌子・江沢洋訳『ファインマンさんベストエッセイ』岩波書店(二〇〇一)
- M・ファラデー著、矢島祐利訳『ロウソクの科学』岩波文庫(一九三三)
- A・フィリップス著、渡辺政隆訳『ダーウィンのミミズ、フロイトの悪夢』みすず書房(二〇〇六)
- J・T・ボナー著、八杉貞雄訳『動物は文化をもつか』岩波書店(一九八二)
- K・J・マクナマラ著、田隅本生訳『動物の発育と進化——時間がつくる生命の形』工作舎(二〇〇一)
- P・B・メダウォー著、加藤珪訳『科学の限界』地人選書(一九八七)
- D・M・ラウプ著、渡辺政隆訳『ネメシス騒動——恐竜絶滅をめぐる物語と科学のあり方』平

河出版社(一九九〇)
・D・ラック著、丸武志訳『天上の鳥アマツバメ――オックスフォード大学博物館の塔にて』平河出版社(一九九七)
・D・ラック著、蓮尾純子訳『鳥学の世界へようこそ』平河出版社(一九九一)
・G・リジェ=ベレール著、立花峰夫訳『シャンパン――泡の科学』白水社(二〇〇七)

テッポウエビの指パッチン異聞――あとがきにかえて

今やインターネット検索で引っかかる情報はすさまじい量に達している。試みに「テッポウエビ」というキーワードで検索してみよう。ハゼとの愉快な共生のようすをとらえたさまざまな海中写真に混ざって、テッポウエビの「銃撃」の瞬間をとらえた動画も見つかるはずである。

鉄砲ならぬはさみの「撃鉄」をカチリと起こし、小エビに狙いを定めて発射された「銃弾」の衝撃が獲物を吹き飛ばす。

これぞ、第1章で紹介した「タクシー・トーク」の話題の主テッポウエビの雄姿である。かれらの「鉄砲」の威力がこれほどすごいとは知らなかった。百聞は一見にしかずとはこのことだろう。時速一〇〇キロメートル超の高速で閉じられたはさみからジェット水流が発射され、それが獲物に強烈なダメージを与えるのだ。

この必殺ガンマンの名はビッグクロー・スナッピング・シュリンプ、学名アルフェウス・ヘテロカエリス。大西洋西岸に分布し、テッポウエビ属の中では最大級（体長は最大五・五センチメートル）の種である。この必殺兵器のメカニズムについては第1章で概説した(一〇ページ)。それぞれの出っ張りとくぼみの部分がカチャッと連結するはさみを高速(時速一〇八キロメートル)で閉じることによって、ジェット水流が発射されると同時に直径三・五ミリメートルほどの気泡が発生する。その泡の破裂音が、「指パッチン」ならぬ銃声の正体なのである。

泡が発生する仕組みはキャビテーション(空洞現象)と呼ばれるもので、高速で回転するスクリューが破壊される現象の原因として一九一六年から知られていた。しかしそれをテッポウエビが活用しているとは、二〇〇〇年に発見されるまで誰も知らなかった。

テッポウエビ属は世界中に二二〇種以上おり、日本だけでも六〇種ほどが見つかっている。甲殻類の権威である武田正倫博士のご教示によると、テッポウエビ類の分類は難しく、食用にされることもなく、せいぜいタイを釣るための餌くらいにしか利用されないため研究者も少ない。したがって、種数やグループの分け方は、今後まだまだ変わるだろうという。

それでもみな、左右いずれかの第一脚(いわゆるはさみ)が大きく、ほとんどの種がそれを使って「カチカチ」とか「パチンパチン」という音を出す。多数のテッポウエビが生息する海域に水中マイクを入れると、あちこちでその音が弾けるように聞こえることから「天ぷらノイズ」とも呼ばれているらしい。日本産の種類でも、生きたテッポウエビを採集してガラス瓶に入れておくと、ガラスが割れることもあるというが、その銃撃の威力についての研究もされていないようだ。

もっとも、件のビッグクローにしても、破壊力を発揮する射程距離は、それほど長くないという。指パッチン音は、獲物や敵に対してだけでなく、同じ種のテッポウエビに対しても発せられる。同じ仲間に対しては、安全な距離(九ミリメートル以上)を置いて発せられるため、互いに損傷を負うことはないらしい。つまり、この場合は武器ではなく、何らかの合図なのだろう。

それにしても、テッポウエビはどうやってそんな装置を手に入れたのだろう。巨大なはさみということであれば、シオマネキというカニの雄も左右いずれかのはさみが巨大化している。そしてそれで「おいでおいで」をするポーズが求愛行動となっている。シオマネキの場合は、巨大化したはさみは求愛の道具としてしか役に立たない。砂の中の有機物をつまんで食べるのには、小さい方のはさみを使用する。このような巨大化は、ダーウィンが性淘汰と命名した仕組みによって進化したものだろう。

性淘汰とは、求愛行動などにおいて、特徴的な体の色彩、サイズ、形状などが有利にはたらくことで、その特徴(二次性徴)が過度に派手になることをいう。雄ジカの大きな角、クジャクやフウチョウ(極楽鳥)の華美な飾り羽などは、性淘汰によって進化したと考えられている。

カニは、敵に襲われたときなどには、つままれたはさみを自分で切り落としてしまう。

これを自切というのだが、自切したはさみはまた生えてくる(自切する部位は決まっていて、それ以外の部位を切っても再生しない)。左右不対称のはさみをもつカニの大半は、自切によって左右のはさみが逆転する。しかしシオマネキではなぜかその逆転が起こらない。

テッポウエビの大きなはさみは、雌雄両方にある。したがって性淘汰の産物とは考えられない。おそらく、そもそもは汎用コミュニケーション装置として進化したものなのだろう。はさみを高速で閉じる仕組みについてはまだわかっていないようだが、おそらくそれほどユニークな仕組みではないだろう。たとえばノミはものすごいジャンプ力を発揮する。あれはばねのように強靱なたんぱく質を一気に弾かせることによる。あるいはある種のアリは、超高速で大あごを閉じる。アリとノミは昆虫類で、テッポウエビは甲殻類だが、いずれも節足動物という大きなグループの一員である。細部で同じ仕組みを共有していても不思議はない。

生物の進化は、結果的には驚異的なことをやってのけるが、じつは個々の段階ではさほど突飛なことをやっているわけではない。テッポウエビの鉄砲も、既存の器官にちょっとした変更を加えることで進化したものと考えられる。たまたまはさみを高速で閉じる装置を進化させたところ、思わぬ物理現象を誘発することになり、それがコミュニケーション装置としての利便性を発揮することになった。しかも、ちょっとした獲物を倒す武器や、敵への威嚇装置にも使えた。それが生存に有利ならば、自然淘汰の原理に従い、装置の性能に磨きがかかるのは自然のなりゆきなのだ。

ちなみにテッポウエビの主食は砂や泥の中の有機物や動物の死体であり、生きた獲物を狩ることはめったにない。おまけに多くの種類はハゼなど、ほかの動物と仲よく共生している。テッポウエビは、実際にはたいへんな平和主義者なのである。

フランスの分子生物学者ジャック・モノは、進化の原理を偶然と必然というキャッチフレーズに凝縮させた。その僚友フランソワ・ジャコブは、進化はブリコラージュ（器用仕事）だと看破した。すなわち手近にあるものを目前の用途に転用することで間に合わせてきたというのだ。その転用の歴史をたどれば、進化の軌跡を再現することができる。

身の回りにある不思議や謎について調べていくと、奇しき因縁に出くわすことが多々ある。テッポウエビについて武田博士に教えを請うた際にも、おもしろい事実を教えてもらった。テッポウエビも、シオマネキ同様、はさみを自切する。大きなはさみを失うと、残った小さいはさみが巨大化し、自切した側には小さなはさみが再生する。じつは、これを最初に研究したのは、ショウジョウバエの遺伝学を切り開いたトマス・ハント・モーガンだったというのだ。

モーガンは、もともとは海洋生物の発生を研究する発生学者だった。当時の教え子には、津田塾を創始した津田梅子もいた。モーガンを発生学の研究に打ちこませた原動力は、発生の研究から進化の謎に迫りたいというものだった。しかし、当時の発生学の研究は、このテッポウエビの自切と再生の研究のように、切った貼ったをしながら現象の上辺をなぞることしかできなかった。そこでモーガンは、発生から進化の謎に迫るには、まず遺伝の仕組みを解き明かさねばならないと見定めた。そして材料としてショウジョウバエを選び、遺伝学の基本法則の解明に大きな貢献をしたのである。

モーガンは、遺伝学者として大成したあとも、夏は海洋生物学研究所近くの別荘で過ごしながら発生学の研究を楽しんでいたという。そんなモーガンだから、テッポウエビの鉄砲の原理が流体力学で解明されたと聞いたらさぞや喜んだことだろう。

現代の科学はきわめて細分化している。しかし、このテッポウエビの場合のように、海洋生物学者と物理学者との出会いが思わぬ発見につながったりする。そこで改めて思い出すのが、科学はユニバーサルランゲッジだというフリーマン・ダイソンの言葉だ。科学は、理(物事の道理)を楽しめる人すべてに開かれている。そしてそれは、レイチェル・カーソンが言うように、人生を豊かにしてくれる。テッポウエビの指パッチンから思わぬ夢が広がらないともかぎらないのだ。

本書は雑誌『科学』の二〇〇七年六月号から二〇〇八年六月号まで(途中一回の休載をはさみ)「科学の種をまく」というタイトルで連載した一二回の稿を加筆修正してま

とめたものである。連載時のタイトルも、本書のタイトルも、サイエンスライターの草分け(と、あえて呼びたい)寺田寅彦の短文集『柿の種』にあやかっている。それともう一つ、畏友スティーヴン・ジェイ・グールドが遺した言葉も密かに踏まえている。

グールドは、二〇〇二年春に肺癌から転移した脳腫瘍の手術を受けた。しかしその手術の五日後には、頭に包帯を巻き車椅子に座った姿で講義室に登壇し、数百人の学生たちを前に、自らの病のことにはいっさい触れることなく、ただ、目に涙を湛えながら旧約聖書『詩篇』の一節を暗唱したという。

その人は流れのほとりに植えられた木。ときが巡り来たれば実を結び、葉もしおれることがない。その人のすることはすべて、繁栄をもたらす。

『詩篇』1ノ3より

グールドは、その二カ月ほどのちの二〇〇二年五月二〇日に、ニューヨークの自宅で静かに息を引き取った。彼がまいた種は、今後ともたくさんの実を結びつづけることだろう。

そういうわけで本書は、僭越ながら偉大な先達二人に捧げるオマージュでもある。一粒の種が芽を出し実を結ぶまでに成長するのはたいへんなことだ。しかし、思わぬところにまで広がって花を咲かせないともかぎらない。

寅彦ゆかりの雑誌『科学』での連載の機会を与えてくれた岩波書店編集部の猿山直美さんの温情と叱咤激励がなければ本書は存在しなかったはずである。日本大学芸術学部教授の僚友木村政司さんは、お忙しいなか、連載中から華やかなカットで彩を添えてくれた。両氏に大いなる感謝の意を表したい。また、本書の内容は、文部科学省科学技術政策研究所に在籍した六年間の経験に多くを負っている。ひょんなことで同研究所に迷いこまなければ、サイエンスコミュニケーションとの出会いもなかった。進化のみならず人生もまた、偶然と必然によって織り成されていくことを強く実感するしだいである。「よそ者」を温かく見守ってくれた同研究所および科学教育・サイエンスコミュニケーション関係者の方々に厚くお礼申し上げたい。

二〇〇八年六月

渡辺政隆

ゴジラの進化――現代文庫版のためのあとがき

東宝映画『ゴジラ』の封切は一九五四年一一月三日。ぼくは五五年の早生まれなので、同学年のゴジラ世代ということになる。

よく知られているように、アメリカが南太平洋ビキニ環礁で一九五四年三月一日に実施した水爆実験により、遠洋マグロ漁船第五福竜丸ほかの船が被曝したことに触発されてゴジラは誕生した。

ちなみに水着のビキニという名称は、ビキニ環礁に由来するのだという。アメリカは、一九四六年七月一日に、ビキニ環礁で第二次世界大戦後初の原爆実験を実施した。水着のビキニのお披露目はその四日後で、フランス人デザイナーが、「原爆と同じで、ビキニは小さいがその衝撃は圧倒的」という謂《いい》で命名したのだそうだ。その少し前に別のフランス人デザイナーが世界初のセパレート水着を発表し、それ以上は分割できないという意味を込めて「アトム(原子)」と名付けていたことに対抗したのだともいう。ゴジラとビキニ水着とのあいだにそのような因縁があったとは驚きだ。

それはともかく、宣伝効果を狙った不謹慎な水着の命名とはちがい、映画『ゴジラ』

のほうは、重いメッセージをはらんでいる。

特撮怪獣映画ではあるが、初代『ゴジラ』には対照的な古典的イメージの科学者が登場する。古生物学者でゴジラの素性を明かす山根恭平博士(志村喬)とゴジラを葬る異形の科学者、芹沢大助博士(平田昭彦)である。ただし映画の主役はサルベージ会社のダイバー尾形秀人(宝田明)であり、その恋人、山根恵美子(河内桃子)がヒロインという位置づけとなっている。

山根博士は、白髪で口髭をたくわえた、昔ながらの「科学者」のイメージである。実証を重んじ、「物理衛生学」の観点からゴジラの生命力探求を優先すべきだと、当初はゴジラ退治に反対する。研究分野も意味不明で、その理由も的を外しているのだが、志村喬の重厚な演技もあり、白衣をまとった博士の発言は威厳に満ちている。

ゴジラは「水生爬虫類から陸上獣類に進化する中間段階」に位置する二〇〇万年前の生物だ。いっしょに見つかった三葉虫は「二〇〇万年前に絶滅した甲殻類」だと、自信たっぷりに力説するのだ。

節足動物ではあるが甲殻類ではない三葉虫が絶滅したのは二億五〇〇〇万年前だし、陸生脊椎動物は水生爬虫類からではなく両生類から進化したと突っ込みたくなるが、むしろ野暮なことは言うなと怒られそうだ。

もう一人の芹沢博士は、洋館とおぼしき「芹沢科学研究所」の地下に実験室を構え、謎の研究に従事している。戦争で負傷し、黒い眼帯の奥に深いトラウマを抱えているらしい。それが原因で、幼なじみの山根恵美子との婚約も解消してしまった。典型的な「マッドサイエンティスト」キャラである。

芹沢博士が秘密裏に進めていたのは、原子力以外の新しいエネルギー源を開発する研究だった。しかし、酸素を破壊するその技術は、「オキシジェンデストロイヤー」という恐ろしい兵器を発明する結果になってしまった。それは、人類には制御できない技術であり、最終破壊兵器だという。これは原子力の暗喩なのだろうか。しかしそうだったとしても当時の風潮は、原子力の落し子「ゴジラ」に隠されたメッセージに、真摯に耳を傾けるような情勢ではなかったはずだ。『ゴジラ』封切当時の日本では、原子力開発予算が承認され、産官学に加えてメディアも挙国一致態勢で原子力行政に邁進する舞台が整えられたところだったからだ。

異端の芹沢博士は、唯一ゴジラの破壊が可能なオキシジェンデストロイヤーを抱えて海中のゴジラに接近し、自爆攻撃によってゴジラを破壊する道を選ぶ。自身と共に禁断の技術も闇に葬るために。

それから六二年後の二〇一六年、装いを新たにした謎の巨大生物ゴジラが東京湾から上陸した。ゴジラシリーズの第二九作『シン・ゴジラ』である。人間ならば還暦を過ぎたところだが、新生ゴジラは未だ発展途上で、上陸後も「進化」を続ける（それは、あえて突っ込むなら「変態」なのだがこの指摘も野暮だろう)。

初代ゴジラは、原爆実験でよみがえった古代生物という設定だが、新生ゴジラは、海洋に不法投棄された放射性廃棄物に被曝して進化した古代生物である。むろん、福島第一原子力発電所爆発事故を受けた設定だろう。

六〇年を経て、日本は発展し、迎え撃つ自衛隊の装備も格段にパワーアップしている。しかし、それ以上にパワーアップしたゴジラの前には無力に等しい。

登場人物の設定にも新しさがある。今回の主役は若手官僚だが、登場する科学者は明と暗の二極だけではなく、多様化が図られている。それでも、ゴジラ破壊の鍵を提供する牧悟郎博士は、日本の学界を追われた異端の科学者という設定だ。本人は登場しないが、なぜかゴジラの存在を知っていて、その弱点を謎のメッセージとして残したまま、愛用のプレジャーボートから姿を消していた。牧博士には芹沢博士の残像が見える。

それ以外の科学者のイメージとしては、有識者として後ろ向きの発言をする科学者から、理系出身の若手官僚まで、多様な「進化」が見られる。巨大不明生物特設災害対策本部チームでは、理系の若手官僚たちの活躍が強調されている。

ゴジラの息の根を止めるのは、やはり科学の力だが、アメリカが水爆投下を画策する中で、対策本部が選んだ作戦は、新幹線とコンクリートポンプ車を用いた薬剤経口投与という、どちらかといえばローテク戦法だった。

動きを止めたゴジラの尾からは、クローン増殖とおぼしき不気味なミニゴジラが多数出芽していた。続編に余韻を残すためなのかもしれないが、制作者の潜在意識には、クローン羊ドリーから、幹細胞研究、iPS細胞へと進展した再生医療技術の発展があったのかもしれない。

娯楽作品とはいえども、社会情勢と無縁ではありえない。『シン・ゴジラ』からも、科学技術の行方を憂うメッセージが読み取れる。核兵器の爆破実験で生まれたゴジラは、原子力発電所の放射性廃棄物でよみがえった。これが、原子力の平和利用を進めた顚末である。自衛力や災害の抑止力をいくら整備したところで「想定外」の事態に対処できるとは限らない。「想定」するのは人間であり、最終的には政治判断だからだ。

災害は突然襲ってくる。3・11の地震と大津波、原発事故は、いうなれば「想定」したくなかった未曽有の大惨事であり、津波のとてつもない破壊力には人間の無力さを実感させられた。

災害の話になると必ず思い出されるのが、「天災は忘れた頃にやって来る」という寺田寅彦の格言だ。3・11後にもよく引用された。具体的な出典は知られていないが、たとえば「津浪と人間」(一九三三)と題した随筆で、人は忘れやすく、過去の教訓をなかなか活かすことができないといった主旨のことを書いている(『寺田寅彦全集　第七巻』岩波書店)。

右記の随筆は、一九三三(昭和八)年三月三日に発生した昭和三陸地震(マグニチュード八・一)によって引き起こされた津波が東北沿岸に大きな被害を出したことに触発されて書かれたものだ。その三七年前には、やはり同じ地域が、明治三陸地震津波に襲われていた。その教訓が十分に活かされなかったことを憂えた寺田は、同随筆中で、「それで日本国民のこれら災害に関する科学知識の水準をずっと高めることができれば、その時にはじめて天災の予防が可能になるであろうと思われる。この水準を高めるには何よりもまず、普通教育で、もっと立ち入った地震津浪の知識を授ける必要がある」と述べている。

時代も教育環境も改まった現在、過去の教訓に学び、教育も浸透していたはずだった。たしかに、日頃の訓練を活かして九死に一生を得た人も多い。だが人は、悲観的な思考よりも楽観的な思考に走りやすい。幸いにも空振りに終わった津波警報を過去何度も体験した人が、「どうせ今回も」と結論した可能性は大いにある。活かされてこその知識なのに。教育とは生きるための知恵を授けることだと、改めて肝に銘じたい。

もう一つ、原発事故による放射性物質飛散に関して、寺田寅彦の名言が頻繁に引用された。「ものをこわがらな過ぎたり、こわがり過ぎたりするのはやさしいが、正当にこわがることはなかなかむつかしい」というものだ。こちらは寺田が実際に書き記した言葉で、「小爆発二件」(一九三五)と題した随筆に登場する(小宮豊隆編『寺田寅彦随筆集　第五巻』岩波文庫)。

昭和一〇(一九三五)年の夏に軽井沢に滞在していた寺田は、浅間山の小噴火を体験した。それはそれで驚きの初体験だったが、上記の言葉は、噴火直後に平気で登山を続行した登山者の行為を、「なになんでもないですよ、大丈夫ですよ」と無責任に請け合った学生と、「いや、そうでないです、そうでないです」と否定した駅員の態度に関するコメントである。

この寺田の名言は、「相手の正体を知ってからこわがろう」と言い換えることもできる。人智が及ばないからといって自然現象を無闇にこわがることはないが、根拠のない安心感を抱けば、ときとして命にも関わる。これは科学リテラシーの問題であり、サイエンスコミュニケーションの問題である。

本書の書名は寺田の著書から拝借した。ただし文庫化にあたり、新たに一章を書き足すと同時に、その内容も踏まえ、副題を「科学と文化を語る」に変えることにした。

単行本刊行時の副題は「サイエンスコミュニケーションの広がり」だった。「サイエンスコミュニケーション」という呼称と概念は、この一〇年を経ても期待したほどには広まっていない。しかしその一方で、日常生活や社会の発展と科学技術との関わりは重要性を増しこそすれ、決して薄れてはいない。そしてむしろ、サイエンスコミュニケーションがカバーすべき範囲は広まりつつある。本書はその範囲の中でも「科学と文化」にまつわる話題が多いため、内容に則した副題への変更を編集部から勧められたという経緯もある。

現代文庫化にあたっては、単行本刊行時同様、岩波書店編集部の猿山直美さんのお世話になった。木村政司さんは追加のイラストを、最相葉月さんは現代文庫版のための解説を快く引き受けてくださった。お三方に心よりの感謝を捧げたい。

二〇一九年一二月

渡辺政隆

解説　身の回りにこそ科学を楽しむ種がある

最相葉月

チャールズ・ダーウィン著『種の起原』の新訳を渡辺政隆さんが手がけたと知り、快哉を叫んだ。八杉龍一訳の岩波文庫版は原文に忠実な日本語と書誌学的に意味のある大量の注記が特徴的で、一般読者には少々敷居が高い。渡辺さんなら、あの難解な書を一般読者にもわかるよう平易な日本語に訳してくれているだろうと思ったためだ。

そもそも私が進化に興味をもつきっかけになった本の多くが、渡辺政隆訳によるものだった。生物の進化観に大きな衝撃をもたらしたカンブリア爆発に焦点を当てたスティーヴン・ジェイ・グールドの代表作『ワンダフル・ライフ――バージェス頁岩と生物進化の物語』、地球に生命が誕生してからの進化史を描いたリチャード・フォーティの『生命40億年全史』、豊富な写真入りで子どもから進化を学べるカール・ジンマーの『「進化」大全』など、世界的に話題になったサイエンス・ノンフィクションを日本語で楽しめたのは、渡辺さんの訳と解説が道案内してくれたことによる。

新装なった『種の起源』(光文社古典新訳文庫)を読んで胸が躍った。短くリズミカルな文章、漢字と平仮名の絶妙なバランス、小見出しや改行などさまざまな工夫があり、ダーウィンの息遣いがみごと再現されていた。この本が専門書だというのは大きな誤解だったようだ。考えてみればこれはダーウィンが社会的反響を想定し、より良い文章になるよう呻吟し、慎重に慎重を重ねて発表したものだ。万物は神が創りたもうたと信ずる時代に「なぜかくも多様な生物がいるのか」という疑問に向き合い、海を渡り、観察し、飼育し、すべての生物は共通の祖先をもつという仮説にたどり着いた。この発見にダーウィン自身が興奮しなかったはずがない。教会の反発はもちろん、科学界からも異端視される可能性を念頭に入れ、園芸家や昆虫研究者、地質学者らによる膨大な資料を参照しながら自説を検証する手法はきわめて科学的だ。一方、自分は今、世界を根底から覆す鍵を握っているのだという胸の高まりは隠せない。

渡辺さんによれば、ダーウィンの功績は、進化を科学にしたことと、自然淘汰のメカニズムを提唱したことだという。今や生物学の常識であるダーウィン進化論が、当時はまぎれもなく物議をかもす世界最先端の理論だったことを理解できたのは、渡辺さんの新訳のおかげである。二〇〇〇年代初頭から文部科学省科学技術・学術政策研究所（NISTEP）の上席研究官として、科学者と市民が対話するサイエンスコミュニケーションの重要性を提唱し、日本サイエンスコミュニケーション協会会長を務めるなど、近年は日本人の科学リテラシーを高めるための、どちらかといえば公的な教育活動に軸足を移されたかのように思っていた渡辺さんであるが、好奇心と感動を第一に考えるサイエンス・マインドは今なお健在だった。

そんな渡辺さんが、NISTEPでの六年間の経験とサイエンスコミュニケーションとの出会いがなければ書きえなかったと回想するのが、岩波書店の雑誌『科学』で連載され、二〇〇八年に単行本化された本書『一粒の柿の種』である。日本の科学随筆の最古参といえる寺田寅彦とその弟子、中谷宇吉郎の観察眼や、グールドの「セーガン現象」についての発言、ミッキーマウスの幼形進化とポケモン進化、クローン羊ドリーにテッポウエビの指パッチンなど、一粒の種から始まったサイエンスばなしは縦横無尽に枝葉を伸ばし、読者の好奇心を刺激する。海外のサイエンスカフェやサイエンスフェスティバルの様子も描かれているが、刊行から一〇年以上過ぎて日本でも状況が少しずつ変化しているのはうれしい誤算だ。サイエンスカフェどころか、水戸藩最後の藩主、徳川昭武が晩年を過ごした戸定邸《とじょうてい》をメイン会場とする千葉県松戸市主催「科学と芸術の丘」のような、科学とアートの国際フェスティバルも始まっているのだから隔世の感がある。

東京大学大学院情報学環教授の佐倉統さんにインタビューを受けた際、渡辺さんは、サイエンスコミュニケーションはそもそも与えられたテーマだったと語っている〈WEBサイト「サイエンスポータル　コラム―インタビュー〈科学コミュニケーション百科〉「第

七回 科学コミュニケーションのスキルやマインドを身につける」二〇一五年二月三日参照)。渡辺さんが入所する直前にNISTEPが発表した科学リテラシーの国際比較の報告書によれば、日本の大人の科学リテラシーは国際的にも低く、国会でもマスメディアでも理科離れ、科学離れが大きな問題になっていた。いったい何が起きているのか、その実態を探る調査担当としてNISTEPに採用されたのが渡辺さんだった。二〇〇二年のことだ。

一九九七年に発表されたクローン羊ドリーの誕生や、第三者の卵子を使用する非配偶者間体外受精、遺伝子組換えなど、生命観を揺さぶる研究や医療技術が発表されて以来、科学技術と社会の関わりや生命倫理はたびたびメディアでも議論のテーマになっていた。当時、クローン技術や生殖医療を取材していた私は正直なところ、文部科学省が進めるサイエンスコミュニケーションの活動や、科学技術振興調整費を大学に交付して実施するサイエンスコミュニケーター養成の動きをどちらかといえば警戒していた。国が市民を科学技術政策の擁護者として育て、批判の芽を摘む動きではないか、対象と距離を置かねばならないジャーナリストとはまったく異なる世界だと思えたからだ。

ただ当時、パブリック・アクセプタンス、すなわち社会の合意が科学技術を考える上で重視されていたことは確かである。クローン羊ドリーをつくった英ロスリン研究所のイアン・ウィルマットが私のインタビューに対し、「ドリーは医療目的で誕生したけれども、この技術は使い方を間違えれば大変なことになる可能性がある。科学者だけでなく、みなさんにも一緒に考えてほしい」と語ったことがある。科学があらゆる問題を解決できるわけではなく、科学技術を受け入れるかどうかは社会が決めなければならない。決めるのは、私たち自身ということだ。

とはいえ、理解しなければ是非の判断はできない。問題点を指摘するには高度な科学リテラシーが必要だ。ウィルマットのメッセージを受けて、私は、いったん矛を納めるべきかもしれないと考え、専門家と市民をつなぐサイトを立ち上げた。科学者だけでなく、生命倫理や特許を扱う弁理士、宗教学者、不妊治療の当事者などが手弁当で集まり、科学技術をどう考えればいいのか意見交換する場を設けた。モラトリアムというと同じ場所で足踏みしているようなマイナスイメージをもたれるかもしれないが、難解なテーマと向き合うには必要不可欠の時間だった。

サイエンスカフェや出前授業、サイエンスアゴラなどのイベントが始まったのも同じ時期で、サイエンスコミュニケーションとサイエンスジャーナリズムが交錯する場面もたびたびあった。私自身、渡辺さんから依頼があり、『生物と無生物のあいだ』で話題になった福岡伸一さんとサイエンスアゴラでパネリストを務めたことがある。

どこか文部科学省色の濃かったサイエンスコミュニケーションが一変したのが、東日本大震災と東京電力福島第一原子力発電所事故である。ＳＮＳが急速に普及し、市民は科学者同士が鋭く対立する場面に何度も遭遇、情報が錯綜し、何が本当のことなのかわからず世の中は大混乱に陥った。原子力業界が原発周辺の地域住民を懐柔するために行ってきた宣伝の手口が明るみになり、パブリック・アクセプタンスはプロパガンダであるとの批判も高まった。議論が深まらないまま、賛成か反対かの二極化が広がっていく。渡辺さん自身、「3・11のときに科学コミュニケーションのあり方や存在価値が問われました。あのとき何もできなかったことに関して、これから何ができるのか考えていかないといけません」といい、「そこで、不安に思っている人たちや科学に対して疑問を持っている人たちと問題意識を共有して、提供できる専門知識がある人とつないでいく、ミドルマンやメディエーターみたいな役割を果たす人が各地域にいるとよいのではと考えています」(同前)と語っている。

科学について書く人のことを科学ジャーナリストやサイエンスライターと呼び、日本ではその大半が新聞社の科学部記者という時代が長かった。科学者の講演会や市民向けの教育イベントが新聞社の主催で開催されることも多い。科学記者は司会やコーディネーターを務めるが、その規模からいってもコミュニケーションは、どうしても専門家から非専門家へという一方向にならざるをえない。市民は観客席で教えをこうむる、というスタイルがほとんどだった。

それが近年、大学でサイエンスコミュニケーションを学んだ若い世代や、大学の教員でありながらサイエンスライターとして執筆活動を行う人びとが増えたのは、まぎれもなく渡辺さんが中心となって整備を進めてきたサイエンスコミュニケーションのインフラがあったからだろう。

科学を書く、科学を伝えるというとわかりやすさばかり求められるが、渡辺さんが記すように、「サイエンスライティングとは、科学の単なる「翻訳」ではない。セーガンやグールド、あるいはドーキンスは、自らも含めて数多の科学者たちが科学の方法を駆使することによって獲得した膨大な知識の体系を背に、無限の宇宙や時間の深淵について語り続けてきた。科学の力を信じればこそ、偽科学や科学の誤用と最後まで闘ったのだろう」（「第4章　ポピュラーサイエンスの誕生」）。

科学もまた人の営みであり、そこには多様で魅力的なドラマがある。本書に登場する雪の観察にのめりこんだ殿様、下総古河藩主・土井利位や、世界で初めて人工的に雪をつくった中谷宇吉郎のように、知らないことを知りたい、誰もやっていないことをやってみたいという好奇心は人間の本能のようなものである。科学離れが心配といわれながらも、渡辺さんが翻訳したリチャード・フォーティの一連の著作やサイモン・シンの『フェルマーの最終定理』、ジャレド・ダイアモンドの『銃・病原菌・鉄』、ユヴァル・ノア・ハラリの『サピエンス全史』のような大著がベストセラーになるのは、私たちが本来、科学的なものの見方や考え方を身につけて世界をより深く理解したいと願っている証左ではないだろうか。

「科学リテラシーとは、理系人材を確保するためだけに必要なのではない。一人ひとりが自らの人生をデザインしていくための素養として身につけるべきものである」(「第9章　ライフコースをデザインする」)とある通り、魅力的な視点と切り口があれば、多少のむずかしさ、わかりにくさがあっても、それを乗り越えて理解し、知識を深め、教養を身に着けたいという欲望が私たちには備わっていることをそろそろ認めてもいいのではないかと思う。

本書はその意味でも、身の回りにこそ科学を楽しむ種があることを教えてくれる恰好の手引き書である。渡辺さんに導かれてまわりを見渡せば、世界は教養の種ならぬ、ネタに満ちあふれている。立春の卵伝説のような話はそこここにある。私が最近知ったのは、人の妊娠期間を意味する「十月十日《とつきとおか》」伝説だ。たとえば元旦にセックスがあれば、一〇カ月目の一〇日にあたる一〇月一〇日に赤ちゃんが生まれる。だから一〇月一〇日生まれの人はそれを話題にされて恥ずかしい思いをしがちだ――そんな話を聞いたことがないだろうか。

これは大きな誤りだ。まず、セックス＝受精、ではない。両者には時間差がある。精子の寿命は三～四日、精子と受精できる卵子の寿命は排卵後わずか六～八時間。たとえ元旦にセックスしても、同じタイミングで排卵があって精子と出会っていなければ元旦のうちに受精するのはむずかしい。医師の指導のもと受精の機会を計算していれば可能性がないわけではないが、それぐらい狙っていなければならないということだ。

もう一つの誤りは、計算方法である。起点は受精ではない。産科ではひと月を二八日で計算し、最後の月経の初日を起点に二八〇日、在胎四〇週で誕生すると考えられてきた。ところが月経日数の個人差もあって、四四週を過ぎても赤ちゃんがごろごろ生まれるではないか。同じ人間なのに、一カ月も長くおなかにいるのは考えられない。そこで、月経から計算する方法が間違っているのではないかという疑問が生じた。これに決着をつけたのが超音波診断で、技術の進歩によって、二〇週までの胎児にはほとんど個体差がないことが判明し、胎児を測って三〇ミリだったら必ず一〇週ゼロ日と決められたのだった。そこから予定日を計算すれば、プラスマイナス二日、およそ九カ月ちょっとで誕生である。

実はこの話、超音波診断のエキスパートで産婦人科医の増崎英明・長崎大学病院前院長への取材で明らかになったのだが、植え付けられた先入観を取り払うことがいかにむずかしいかを痛感する経験だった。ちなみに増崎先生とは、二〇一八年二月、東京・下北沢にあるリベラルアーツ・カフェ「ダーウィンルーム」でダーウィン誕生を祝うイベント「ダーウィン・デー」が開かれた際、コーディネーターの渡辺さんが増崎先生と私をそれぞれ別の日にゲストに呼んでくださったご縁で知り合った。三人が演者となった二〇一九年二月の会場には、大学の研究者や美術の先生、ベンチャー企業の社員、編集者、探検家、新聞記者など、文系理系の垣根を超えて多様な人びとが集い、終了後の懇親会では科学の種を肴にシャンパンを飲んで盛り上がった。渡辺さんご本人は飾り気のない静かな語り口の方だが、渡辺さんのまわりには一癖も二癖もあるユニークな人びとが集まってくる。これこそ、ウォーキング・メディエーターである。まだ小さな動きかもしれないが、街角にそんなスペースがあって、来る人拒まずの教養の扉が開かれているのもうれしいことではないか。

なお本書は文庫化にあたって、岩波書店の雑誌『図書』二〇一九年一〇月号と一一月号に掲載された「二つの文化をつなぐ(上) ポップなサイエンス文化」と「(下) 無用の用を愉しむ」の二編が新たに収録された。漫画『もやしもん』はまだわかるにしても、村上春樹『1Q84』の「天吾の睾丸」から「外適応」に話がつながるとは……。好きこそ物のなんとかではないが、渡辺さんの知識の泉から湧き出す自由自在で突飛な連想力には驚かされるばかりだ。寺田寅彦や中谷宇吉郎を継ぐ正統な科学随筆家、渡辺政隆と同時代に生きていることを光栄に思う。

（ノンフィクションライター）

本書は、岩波書店の雑誌『科学』の連載(二〇〇七年六月号〜二〇〇八年六月号)を元にまとめた『一粒の柿の種――サイエンスコミュニケーションの広がり』(二〇〇八年九月、岩波書店)に、岩波書店の雑誌『図書』の二〇一九年一〇月号と一一月号掲載「二つの文化をつなぐ(上)ポップなサイエンス文化」と「(下)無用の用を愉しむ」を加えて再構成した。

一粒の柿の種——科学と文化を語る

2020年2月14日　第1刷発行

著　者　渡辺政隆《わたなべまさたか》

発行者　岡本　厚

発行所　株式会社　岩波書店
〒101-8002 東京都千代田区一ツ橋2-5-5
案内 03-5210-4000　営業部 03-5210-4111
https://www.iwanami.co.jp/

印刷・精興社　製本・中永製本

ISBN 978-4-00-603318-7　Printed in Japan

岩波現代文庫創刊二〇年に際して

二一世紀が始まってからすでに二〇年が経とうとしています。この間のグローバル化の急激な進行は世界のあり方を大きく変えました。世界規模で経済や情報の結びつきが強まるとともに、国境を越えた人の移動は日常の光景となり、今やどこに住んでいても、私たちの暮らしは世界中の様々な出来事と無関係ではいられません。しかし、グローバル化の中で否応なくもたらされる「他者」との出会いや交流は、新たな文化や価値観だけではなく、摩擦や衝突、そしてしばしば憎悪までをも生み出しています。グローバル化にともなう副作用は、その恩恵を遥かにこえていると言わざるを得ません。

今私たちに求められているのは、国内、国外にかかわらず、異なる歴史や経験、文化を持つ「他者」と向き合い、よりよい関係を結び直してゆくための想像力、構想力ではないでしょうか。

新世紀の到来を目前にした二〇〇〇年一月に創刊された岩波現代文庫は、この二〇年を通して、哲学や歴史、経済、自然科学から、小説やエッセイ、ルポルタージュにいたるまで幅広いジャンルの書目を刊行してきました。一〇〇〇点を超える書目には、人類が直面してきた様々な課題と、試行錯誤の営みが刻まれています。読書を通した過去の「他者」との出会いから得られる知識や経験は、私たちがよりよい社会を作り上げてゆくために大きな示唆を与えてくれるはずです。

一冊の本が世界を変える大きな力を持つことを信じ、岩波現代文庫はこれからもさらなるラインナップの充実をめざしてゆきます。

（二〇二〇年一月）

岩波現代文庫［社会］

S260
世阿弥の言葉
―心の糧、創造の糧―
土屋恵一郎
世阿弥の花伝書は人気を競う能の戦略書である。能役者が年齢とともに試練を乗り超えるためのその言葉は、現代人の心に響く。

S261
戦争とたたかう
―憲法学者・久田栄正のルソン戦体験―
水島朝穂
軍隊での人間性否定に抵抗し、凄惨な戦場でも戦争に抗い続けられたのはなぜか。稀有な従軍体験を経て、平和憲法に辿りつく感動の軌跡。いま戦場を再現・再考する。

S262
過労死は何を告発しているか
―現代日本の企業と労働―
森岡孝二
なぜ日本人は死ぬまで働くのか。株式会社論、労働時間論の視角から、働きすぎのメカニズムを検証し、過労死を減らす方策を展望する。

S263
ゾルゲ事件とは何か
チャルマーズ・ジョンソン
篠﨑務訳
尾崎秀実とリヒアルト・ゾルゲはいかに出会い、なぜ死刑となったか。本書は二人の人間像を解明し、事件の全体像に迫った名著増補版の初訳。〈解説〉加藤哲郎

S264
あたらしい憲法のはなし 他二篇
―付 英文対訳日本国憲法―
高見勝利編
日本国憲法が公布、施行された年に作られた「あたらしい憲法のはなし」「新しい憲法 明るい生活」「新憲法の解説」の三篇を収録。

2020. 2

岩波現代文庫［社会］

S265
日本の農山村をどう再生するか
保母武彦

過疎地域が蘇えるために有効なプログラムが求められている。本書は北海道下川町、島根県海士町など全国の先進的な最新事例を紹介し、具体的な知恵を伝授する。

S266
古武術に学ぶ身体操法
甲野善紀

桑田投手が復活した要因とは何か。「ためない、ひねらない、うねらない」、著者が提唱する身体操法は、誰もが驚く効果を発揮して各界の注目を集める。〈解説〉森田真生

S267
都立朝鮮人学校の日本人教師
―一九五〇―一九五五―
梶井陟

朝鮮人の子どもたちにも日本人の子どもたちと同じように学ぶ権利がある！　冷戦下、廃校への圧力に抗して闘った貴重な記録。〈解説〉田中宏

S268
医学するこころ
―オスラー博士の生涯―
日野原重明

近代アメリカ医学の開拓者であり、患者の心を大切にした医師、ウィリアム・オスラー。その医の精神と人生観を範とした若き医学徒だった筆者の手になる伝記が復活。

S269
喪の途上にて
―大事故遺族の悲哀の研究―
野田正彰

かけがえのない人の突然の死を、遺された人はどう受け容れるのか。日航ジャンボ機墜落事故などの遺族の喪の過程をたどり、悲しみの意味を問う。

2020.2

岩波現代文庫[社会]

S270
時代を読む
—「民族」「人権」再考—

加藤周一
樋口陽一

「解釈改憲」の動きと日本の人権と民主主義の状況について、二人の碩学が西欧、アジアをふまえた複眼思考で語り合う白熱の対論。

S271
「日本国憲法」を読み直す

井上ひさし
樋口陽一

日本国憲法は押し付けられたもので時代にそぐわないから改正すべきか？ 同年生まれで敗戦の少国民体験を共有する作家と憲法学者が熱く語り合う。

S272
関東大震災と中国人
—王希天事件を追跡する—

田原洋

関東大震災の時、虐殺された日本在住中国人のリーダーで、周恩来の親友だった王希天の死の真相に迫る。政府ぐるみの隠蔽工作を明らかにするドキュメンタリー。改訂版。

S273
NHKと政治権力
—番組改変事件当事者の証言—

永田浩三

NHK最高幹部への政治的圧力で慰安婦問題を扱った番組はどう改変されたか。プロデューサーによる渾身の証言はNHKの現在をも問う。各種資料を収録した決定版。

S274-275
丸山眞男座談セレクション(上・下)

丸山眞男
平石直昭編

人と語り合うことをこよなく愛した丸山眞男氏。知性と感性の響き合うこれら闊達な座談の中から十七篇を精選。類いまれな同時代史が立ち上がる。

2020. 2

岩波現代文庫[社会]

S276
ひとり起つ
—私の会った反骨の人—
鎌田　慧

組織や権力にこびずに自らの道を疾走し続けた著名人二二人の挑戦。灰谷健次郎、家永三郎、戸村一作、高木仁三郎、斎藤茂男他、今も傑出した存在感を放つ人々との対話。

S277
民意のつくられかた
斎藤貴男

原発への支持や、道路建設、五輪招致など、国策・政策の遂行にむけ、いかに世論が誘導・操作されるかを浮彫りにした衝撃のルポ。

S278
インドネシア・スンダ世界に暮らす
村井吉敬

激変していく直前の西ジャワ地方に生きる市井の人々の息遣いが濃厚に伝わる希有な現地調査と観察記録。一九七八年の初々しい著者デビュー作。〈解説〉後藤乾一

S279
老いの空白
鷲田清一

〈老い〉はほんとうに「問題」なのか？　身近な問題を哲学的に論じてきた第一線の哲学者が、超高齢化という現代社会の難問に挑む。

S280
チェンジング・ブルー
—気候変動の謎に迫る—
大河内直彦

地球の気候はこれからどう変わるのか。謎の解明にいどむ科学者たちのドラマをスリリングに描く。講談社科学出版賞受賞作。
〈解説〉成毛　眞

岩波現代文庫[社会]

S281
ゆびさきの宇宙
福島智・盲ろうを生きて
生井久美子
盲ろう者として幾多のバリアを突破してきた東大教授・福島智の生き方に魅せられたジャーナリストが密着、その軌跡と思想を語る。

S282
釜ヶ崎と福音
―神は貧しく小さくされた者と共に―
本田哲郎
神の選びは社会的に貧しく小さくされた者の中にこそある！　釜ヶ崎の労働者たちと共に二十年を過ごした神父の、実体験に基づく独自の聖書解釈。

S283
考古学で現代を見る
田中琢
新発掘で本当は何が「わかった」といえるか？　考古学とナショナリズムとの危うい関係とは？　発掘の楽しさと現代とのかかわりを語るエッセイ集。〈解説〉広瀬和雄

S284
家事の政治学
柏木博
急速に規格化・商品化が進む近代社会の軌跡と重なる「家事労働からの解放」の夢。家庭という空間と国家、性差、貧富などとの関わりを浮き彫りにする社会論。

S285
河合隼雄の読書人生
―深層意識への道―
河合隼雄
臨床心理学のパイオニアの人生に影響をおよぼした本とは？　読書を通して著者が自らの人生を振り返る、自伝でもある読書ガイド。〈解説〉河合俊雄

2020. 2

S286
平和は「退屈」ですか
―元ひめゆり学徒と若者たちの五〇〇日―
下嶋哲朗

沖縄戦の体験を、高校生と大学生が語り継ぐプロジェクトの試行錯誤の日々を描く。社会人となった若者たちに改めて取材した新稿を付す。

S287
野口体操入門
―からだからのメッセージ―
羽鳥操

「人間のからだの主体は脳でなく、体液である」という身体哲学をもとに生まれた野口体操。その理論と実践方法を多数の写真で解説。

S288
日本海軍はなぜ過ったか
―海軍反省会四〇〇時間の証言より―
澤地久枝
半藤一利
戸高一成

勝算もなく、戦争へ突き進んでいったのはなぜか。「勢いに流されて――」。いま明かされる海軍トップエリートたちの生の声。肉声の証言がもたらした衝撃をめぐる白熱の議論。

S289-290
アジア・太平洋戦争史（上・下）
―同時代人はどう見ていたか―
山中恒

いったい何が自分を軍国少年に育て上げたのか。三〇年来の疑問を抱いて、戦時下の出版物を渉猟し書き下ろした、あの戦争の通史。

S291
戦下のレシピ
―太平洋戦争下の食を知る―
斎藤美奈子

十五年戦争下の婦人雑誌に掲載された料理記事を通して、銃後の暮らしや戦争について知るための「読めて使える」ガイドブック。文庫版では占領期の食糧事情について付記した。

2020. 2

S297
フードバンクという挑戦
―貧困と飽食のあいだで―
大原悦子
食べられるのに捨てられてゆく大量の食品。一方に、空腹に苦しむ人びと。両者をつなぐフードバンクの活動の、これまでとこれからを見つめる。

S298
いのちの旅
「水俣学」への軌跡
原田正純
水俣病公式確認から六〇年。人類の負の遺産「水俣」を将来に活かすべく水俣学を提唱した著者が、様々な出会いの中に見出した希望の原点とは。〈解説〉花田昌宣

S299
紙の建築 行動する
―建築家は社会のために何ができるか―
坂茂
地震や水害が起きるたび、世界中の被災者のもとへ駆けつける建築家が、命を守る建築の誕生とその人道的な実践を語る。カラー写真多数。

S300
犬、そして猫が生きる力をくれた
―介助犬と人びとの新しい物語―
大塚敦子
保護された犬を受刑者が介助犬に育てるという米国での画期的な試みが始まって三〇年。保護猫が刑務所で受刑者と暮らし始めたこと、元受刑者のその後も活写する。

S301
沖縄 若夏の記憶
大石芳野
戦争や基地の悲劇を背負いながらも、豊かな風土に寄り添い独自の文化を育んできた沖縄。その魅力を撮りつづけてきた著者の、珠玉のフォトエッセイ。カラー写真多数。

2020. 2

S302
機会不平等
斎藤貴男

機会すら平等に与えられない〝新たな階級社会の現出〟を粘り強い取材で明らかにした衝撃の著作。最新事情をめぐる新章と、森永卓郎氏との対談を増補。

S303
私の沖縄現代史
―米軍支配時代を日本〈ヤマト〉で生きて―
新崎盛暉

敗戦から返還に至るまでの沖縄と日本の激動の同時代史を、自らの歩みと重ねて描く。日本〈ヤマト〉で「沖縄を生きた」半生の回顧録。岩波現代文庫オリジナル版。

S304
私の生きた証はどこにあるのか
―大人のための人生論―
H.S.クシュナー
松宮克昌訳

私の人生にはどんな意味があったのか？　人生の後半を迎え、空虚感に襲われる人々に旧約聖書の言葉などを引用し、悩みの解決法を提示。岩波現代文庫オリジナル版。

S305
戦後日本のジャズ文化
―映画・文学・アングラ―
マイク・モラスキー

占領軍とともに入ってきたジャズは、アメリカそのものだった！　映画、文学作品等の中のジャズを通して、戦後日本社会を読み解く。

S306
村山富市回顧録
薬師寺克行編

戦後五五年体制の一翼を担っていた日本社会党は、その誕生から常に抗争を内部にはらんでいた。その最後に立ち会った元首相が見たものは。

S307
大逆事件
―死と生の群像―
田中伸尚

天皇制国家が生み出した最大の思想弾圧「大逆事件」。巻き込まれた人々の死と生を描き出し、近代史の暗部を現代に照らし出す。〈解説〉田中優子

S308
「どんぐりの家」のデッサン
漫画で障害者を描く
山本おさむ

かつて障害者を漫画で描くことはタブーだった。漫画家としての著者の経験から考えてきた、障害者を取り巻く状況を、創作過程の試行錯誤を交え、率直に語る。

S309
鎖塚
―自由民権と囚人労働の記録―
小池喜孝

北海道開拓のため無残な死を強いられた囚人たちの墓、鎖塚。犠牲者は誰か。なぜその地で死んだのか。日本近代の暗部をあばく迫力のドキュメント。〈解説〉色川大吉

S310
聞き書 野中広務回顧録
御厨貴
牧原出 編

二〇一八年一月に亡くなった、平成の政治をリードした野中広務氏が残したメッセージ。五五年体制が崩れていくときに自民党の中で野中氏が見ていたものは。〈解説〉中島岳志

S311
不敗のドキュメンタリー
―水俣を撮りつづけて―
土本典昭

『水俣―患者さんとその世界―』『医学としての水俣病』『不知火海』などの名作映画の作り手の思想と仕事が、精選した文章群から甦る。〈解説〉栗原 彬

岩波現代文庫[社会]

S312
増補 隔離 ―故郷を追われたハンセン病者たち―
徳永進
らい予防法が廃止され、国の法的責任が明らかになった後も、ハンセン病隔離政策が終わり解決したわけではなかった。回復者たちの現在の声をも伝える増補版。〈解説〉宮坂道夫

S313
沖縄の歩み
国場幸太郎
新川明
鹿野政直編
米軍占領下の沖縄で抵抗運動に献身した著者が、復帰直後に若い世代に向けてやさしく説き明かした沖縄通史。幻の名著がいま蘇る。〈解説〉新川明・鹿野政直

S314
ぼくたちはこうして学者になった ―脳・チンパンジー・人間―
松本元
松沢哲郎
「人間とは何か」を知ろうと、それぞれ新たな学問を切り拓いてきた二人は、どのような生い立ちや出会いを経て、何を学んだのか。

S315
ニクソンのアメリカ ―アメリカ第一主義の起源―
松尾文夫
白人中産層に徹底的に迎合する内政と、中国との和解を果たした外交。ニクソンのしたたかな論理に迫った名著を再編集した決定版。〈解説〉西山隆行

S316
負ける建築
隈研吾
コンクリートから木造へ。「勝つ建築」から「負ける建築」へ。新国立競技場の設計に携わった著者の、独自の建築哲学が窺える論集。

2020. 2

岩波現代文庫［社会］

S317
全盲の弁護士　竹下義樹
小林照幸
視覚障害をものともせず、九度の挑戦を経て弁護士の夢をつかんだ男、竹下義樹。読む人の心を揺さぶる傑作ノンフィクション！

S318
一粒の柿の種
―科学と文化を語る―
渡辺政隆
身の回りを科学の目で見れば…。その何と楽しいことか！　文学や漫画を科学の目で楽しむコツを披露。科学教育や疑似科学にも一言。〈解説〉最相葉月